法華經者的話

下冊

卷頭語

出三界是心法的事，智者大師明示，法華經者的行門攝養，三諦圓融、一心三觀、一念三千義；一念現前是生命中之一大事，一念心是心的歸依。

《摩訶止觀》解釋止觀名義時：止觀禪法，是不思議絕待止觀、是無生止觀、亦名開示悟入一大事止觀。〈法華經．方便品〉之「開示悟入」，開示者，依六度波羅蜜開導無明煩惱三毒，而明示，真知真見佛性真如；悟入者，經生命無數小悟的醒覺，積功累德行菩薩道，入佛知見道，是行證轉依的功夫，是入法華經者寬博安樂之菩提心，是如來使四法成就的菩薩道精神。

「湛海光如有，寒空色若無；誰知俯仰內，千古照迷塗。」——憨山大師〈夢遊集．詠月〉

深夜佛前燈下自問，「真性軌、資成軌、觀照軌，了因、了緣、了法、了業」，此生於呼吸間求了了，實是不易，觀照悲智融入呼吸間，渺向何方。息心是了，深心念佛，深心思己，深心靜慮參究起伏的念是了，所以《心經》說：「行深般若波羅蜜多時。」深入娑婆苦海，才能照見五蘊皆空，觀照悲智融入呼吸間，圓成三軌、三因佛性。（T33.741b～742、744、779c）

感山居禮誦法華經之可貴，易對生命之把捉有個主宰，高僧山居詩此種智慧之開拓，大師們沉斂的生活歸真寂之際，窺見人生生死之間的秘密，得心的自在解脫，均是止觀研心，己心的行旅處，生命至某個階段，對凡能啟發己之向上者，均需視為人中學，菩薩學處之廣修供養、恆順眾生。

每日多次與瞬間的清淨心對話，增益「禪覺」的能力，保持醒覺之性即是修禪，所以從「禪覺而起」是歷境驗心，於日常的語默動靜看見自己。經行步伐輕安，步步清晰生活中的念頭，此步已非前步了，只有當下的舉足動步即是，隨念三寶功德迴向慧命。感受空氣中泛散著，寧靜的音色香氣息。在《般若與美》我曾經寫過，我們人或許有時會，宛如華開似的散發些香氣，我們心念的芬芳氣息在無形中散發著。

人事物之景緻有深藏天趣，思想一回，卻靜定得沉斂，心境光潔無垢時，鏡喻一心，臨鏡醒身心，「舉一心為宗，照萬法為鏡」。

一念心是心的歸依，「如是尊妙人，則能見般若」。（《大智度論》卷十八 T25, 190b）

道心在人心中，此心之所以一也，心之所以安也。

——黃綰《明道編》

香風吹萎華，更雨新好者。

——〈法華經．化城喻品〉

云何無畏如獅子，所行清淨如滿月；云何修習佛功德，猶如蓮華不著水。

——〈華嚴經．明法品〉

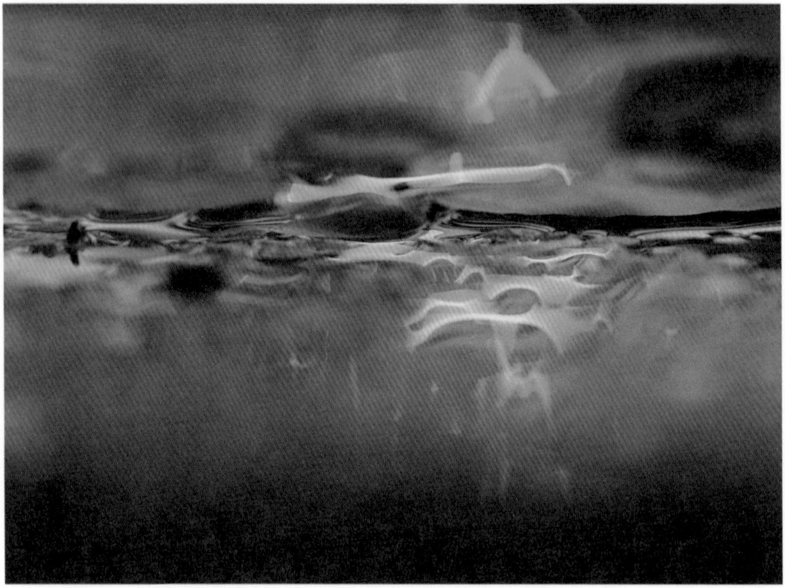

下冊

目次

卷頭語 002
緣緣之緣．念念止觀現前 016
觸景照心其義了了 020
月在青天影在波 024
一念三千，三千一念 029
靜裏乾坤 037

五品弟子位 040
鏡影 045
受職菩薩 048
此境誰會得 053
「尋解」如來使之思 054
凝心攝念——數息觀息是觀一念心 060
般若遺蕩・止觀建立 063
自轉法輪——一念無念 065
大如微塵 067

淨治心寶佛影觀 071
現前遠行地於十地之功——情存妙法 076
佛影——法界月法界影智慧月 081
心月孤圓 085
因緣所生法 088
觀息善識通塞 093
唯佛與佛 097
法華知津 098
境與智與行「善用其心」之法 101

拂曉靜中消息 104
心跡 106
身心不動 110
始終心要 112
佛種從緣起 114
法華要義「開、示、悟、入」 117
偶遇法華經者的法喜法樂 121
法華經者謹慎行藏 126
敬讀《法華經》與《華嚴經》 129

入無生智到無依處〈淨行品〉 133
法華止觀行 135
調和身息心三事 137
「人間菩薩之念念以大悲為首」之大前提 139
思惟修「四運心」 141
獨坐了無言說，回看妄想全消 145
舉足動步而常入定 148
果成華已空——平等大慧 151
人間佛 155

山中華開蓮現 158
己心中所行門 159
憶母親師父 162
茶中也有山居詩 165
香風吹萎華．更雨新好者 167
花訊 170
人人心中有部《華嚴經》 174
無一眾生而不具有 175
共說無生話 179

初心為待至人來 182
法華經者柔伏其心 186
超倫每效高僧行・得力難忘古佛書 194
一色一香無非中道 197
胸懸明鏡照乾坤 201
編後記　月在青天影在波　許悔之 206

緣緣之緣・念念止觀現前

南無大乘妙法蓮華經・南無法華會上佛菩薩。福報，植眾德本，今日之可依以為典範者。影深水觀音一聲夕陽散天香，映照朵朵蓮華，深心感應之機，如晰晰窺曉星。禮誦妙法蓮華經，年年培養一粒粒蓮子，長成一朵朵蓮華，一朵蓮華能生多少蓮子?!我年年蓮華時節如是培養著蓮子。

我們修行也是漸頓調柔，「念佛心、心中佛、常念佛」，淨業種子漸成長，慧業漸增長。「種子起現行」，釋迦牟尼佛說世出世法的事迹記載在佛典，我們有緣遇之機，受持法華經，意根淨盡。然而直叫意根淨盡比較難，五情根可以看到自己的態度、語言，所以五情收攝、意根寂靜，從「現行」生「種子」，然後種子再種下心地，再生出來映照現行，如是從有至空，是最方便有跡可尋的，真心與妄心互相對應參照著。

然而法華禪念念止觀就更明利了，「禪是用種子含藏」，可是「種子」我們看不到，現行各個看得到，「現行」是由眼、耳、鼻、舌、身五情所生。佛種從緣起，木魚聲聲輕敲，吟伴著綿密佛號「南無大願地藏王菩薩……」，凝心攝念，此心供養於佛，方可無愧，諸供養中法供養為最，洗心室內秋意淨。如風鈴般相敦觸和鳴，一聲鈴響、一聲佛號、一個祝福；「寶鈴千萬億，風動出妙音」的祝福，在這人世間的困惑裏，如何能至「如說而修行」；懺悔懺悔再懺悔，默照默照，生命也惟有默照，認識順十心，明知過失，自然湧現逆流十心以為對治，此順逆二十心，如是通諸懺悔之本。

受持妙法蓮華經者，所願不虛，現世得福報。僧家，真正的福報，不是享人天福，是自己慧命增長的福報，是救護有緣眾生順利的福報，那生活的意義和使命；如來使，如來所遣使，行如來事。如是，人生何處不光輝，溫情可烘雲托月，暖和冷漠人間；人的根與源，正是人間像與慈善之情。因之，持法華經者，當行普賢菩薩之行，乃為「諸佛護念，植眾德本，入正定聚，發救護一切眾生之心」。如是，如說修行者，深種善根，為諸如來，手摩其頭，願消三障諸煩惱，得智慧真明了。

佛大慈悲，「唯佛與佛，乃能究盡諸法實相」、「開方便門，示真實相」，參究此間話頭，蓋因緣果報，乃蠢動含靈，皆一佛性耳。有情眾生遇一聖人垂語，若契無生得三德永離苦海。遇之不識，迷妄轉乖，剎那生滅輪轉生死。是知佛說「三界唯心，萬法唯識」。參究話頭，識如夢幻，夢覺真存，如殿角懸鐘含響隨緣應，聞見方知識自心，法身德如如；六根門頭裏許藏三界，香花六塵等誰覺知之，只在學人己心心印中。猶如行人看經不識字，只止觀研心、念念止觀現前，剎那轉了千萬億部，觀見恆沙諸佛入微塵。然誰識得，一微塵中藏有佛菩薩性，悟入佛光垂語，照觸一切物，只許敬信信受奉行三軌法者，知之。寶鈴千萬億，風動出妙音，修行功夫全在點化，化通如理如智。

（二〇一八年八月十七日，初夜）

觸景照心其義了了

鏡影的醒覺。十五年前的觸景照心其義了了。我們人身處在無所憂畏，而極度疲勞的狀態下，靜坐昏沉，卻能照見心中、闇識昏迷渙散的意念，這是無畏心如鏡影。照見之後的對治，又是另一層工夫。

靜坐中的昏沉，晃動裏的瞬間，倏忽醒覺了，如夢幻泡影的感知，妄念，顛倒夢想之影像，原來是這麼一回事！

相對的正念現前，八識中的念念生滅，清晰地不漏失地，交織現前於無意識的念頭裏。豁然醒之，觸事有餘，覺知生滅法之真實義。

爾後常當自勉精進修之。修大悲色身常護眾生，法界月法界影智慧月。為什麼釋迦文佛的法語，會使人深思感動欲體解大道，那是有很多社會背景的。「法界」就是所有這個世間的世出世法，「一切本無」是般若實相，這慈悲與智慧的不即不離，一言難說盡，細參自明了，細細參，思惟修，當下豁然朗照。精密用功繫念安那般那是入門法。林中明臉友留言：夢蝶！蝶夢？顛倒夢想者，究竟涅槃乎？

（二〇一九年七月二十四日，後夜）

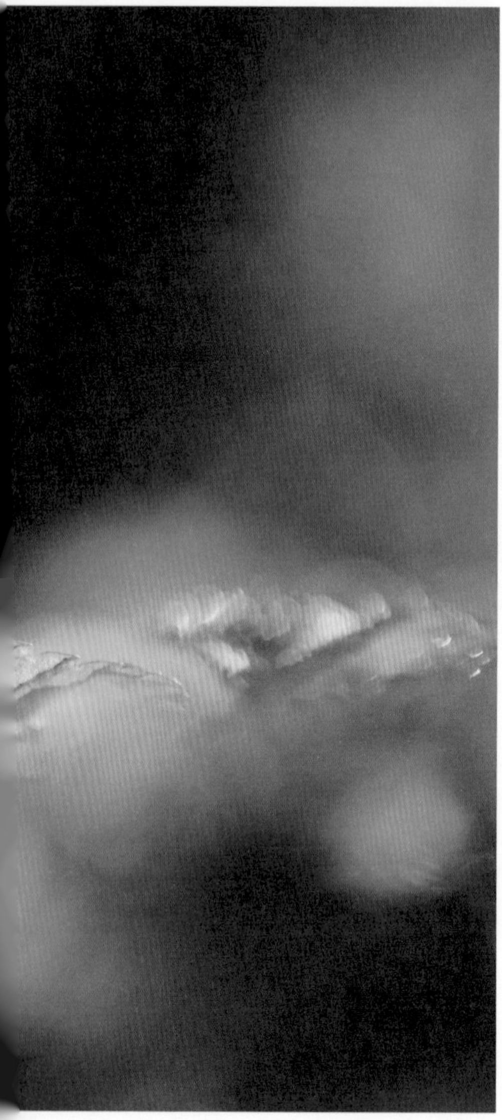

月在青天影在波

人之與己之本心菩薩性，相遇見著面了，是何等的一種平懷處，深信此乃幸福。福吉祥喜樂，生命之四安樂行初親近處，入於靜室的安好隱藏所。

「著意求真真轉遠，擬心斷妄妄猶多；道人一種平懷處，月在青天影在波。」——石屋禪師

生命裏有一種學問叫作「心性之學」，吾視之為「法華經者行持止觀研心」，開拓三妙法思想的如來使精神。如是綿密的邏輯思惟修，唯獨一心簡約仁厚，欲懺悔悟性者乃能領略之，所謂「至極止則定之」，如是

安樂行的止行之得定三業之時，已「達諸惡莫作」。進而「眾善奉行」。黃綰《明道編》：「定靜安皆本於止，止在於而有其所。」

《摩訶止觀》在正修止觀闡述：開止觀為十。一陰界入。二煩惱。三病患。四業相。五魔事。六禪定。七諸見。八增上慢。九二乘。十菩薩。此十境通能覆障。

陰在初者二義。一現前。二依經。大品云。聲聞人依四念處行道。菩薩初觀色乃至一切種智。

又行人受身誰不陰入。重擔現前是故初觀。……此十種境始自凡夫正報終至聖人方便。陰入一境常自現前。若發不發恆得為觀。餘九境發可為觀。不發何所觀。……法者。眼耳鼻舌陰入界等。皆是寂靜門亦是法界。何須捨此就彼……

業相為法界者。業是行陰。法華云。深達罪福相遍照於十方。微妙淨法身具相三十二。達業從緣生不自在故空。此業能破業。若眾生應以此業得度。示現諸業以此業立業。業與不業縛脫叵得。普門示現雙照縛脫。故名深達。

魔事為法界者。首楞嚴云。魔界如佛界如。一如無二如。實際中尚不見佛。況見有魔耶。禪為法界者。能觀心性名為上定。即首楞嚴不昧不亂入王三昧。一切三昧悉入其中。見為法界者。淨名云。以邪相入正相。於諸見不動而修三十七品。……菩薩境為法界者。底惡生死下劣小乘尚即是法界。況菩薩法寧非佛道。又菩薩方便之權即權而實。亦即非權非實成祕密藏。入大涅槃。是一一法皆即法界。是為不次第法相也。……譬如大地一能生種種芽。

第一觀陰入界境者。謂五陰十二入十八界也。陰者陰蓋善法。此就因得名。……若依華嚴云。心如工畫師畫種種五陰。界內界外一切世間中莫不從心造。世間色心尚叵窮盡。況復出世。寧可凡心知。……然界內外一切陰入皆由心起。佛告比丘。一法攝一切法所謂心是。論云。一切世間中但有名與色。若欲如實觀。但當觀名色。心是惑本其義如是。若欲觀察須伐其根。如灸病得穴。今當去丈就尺去尺就寸。置色等四陰但觀識陰。識陰者心是也。

觀心具十法門。觀不可思議境。起慈悲心。巧安止觀。破法遍。識通塞。修道品。對治助開。知次位。能安忍。無法愛也。既自達妙境即起誓悲他。次作行填願。願行既巧破無不遍。遍破之中精識通塞。令道品進行。又用助開道。道中之位己他皆識。安忍內外榮辱莫著中道法愛。故得疾入菩薩位。(T46．48c～52b)

故得疾入菩薩位,意旨法華經者「止而定、定而能生」,心的能生性,佛菩薩性種子有二(一切世間中但有名與色)。《六祖壇經》所謂:

「前一念不生即心，後一念不滅即佛；成一切相及心，離一切相即佛。」

一、身與息：增益身力（定後而動）；「息」是我們生命的根，亦名之為「命、壽、風、氣」，命根體即壽能持暖（身）及識，三者互相依持；定其身息，凝視鼻端，內視兩眉之間，凝攝了，即知生命的一往一來，見了命之根也。「一期為壽，連持曰命；一期連持，息風不斷，故出入息，名為壽命。」（T46．374a）

二、心：不昏不沉，觀境伏結，心進勇銳。沉而不昏即斂，沉斂，進一步不昏亦不沉之惺惺，當爾之時寂寂層層而湧，名之為善根發於「寂寂」之觀境，淨化思想悲智精神由此繁興，大用於生活日常。

如是「心性之學」之信受奉行者，吾解讀為，方可稱之為人間菩薩，行化人間佛教的佛人，人間佛，法華經者。《成唯識論集解》X50：「持心能生心定，策心能生觀定。」

（二〇一七年十月五日）

一念三千，三千一念

天台宗法華禪之一念三千，是智者大師發揮法華經者禪觀最高的境界。一念三千是一歸萬法，三千一念是萬法歸一；兩者合起來是自轉法輪。一念無念是般若淨化智慧，無念無不念是通達大智平等大慧佛菩薩的悲心。

「諦觀現前一念心」凡是有一念心便是妄心，我們為什麼學要觀妄心呢？因妄心觀它，就散了，我們知道它是妄，所以妄一散即無念的境界，「靜與淨」工夫教工夫的《六妙門》，前面的一數二隨三止四觀，是歷境驗心，一念三千之「一念」的境地，一念即是無念、淨念。一念無念的禪境工夫，如何體覺，又，既然是「一念」，如何言之「無念」呢！這中間靜坐微妙的體驗，我理解為不可思議的「自覺知、內自證」法，是常好坐禪者，於空閑處，得一念受用的鮮活活妙處。數息至隨息時、捨數隨息的這一念，就是安般守意，入靜念。八識活動在靜與淨的境地，是一念現前的工夫，如胸懸明鏡，一念是鏡體不動鏡照的作用，稱三千諸法現前，求心生滅不可得，亦不得心不生不滅之畢竟空，「三界無別法唯是一心作」。止觀行者所謂鏡像鏡影觀，一念照達三千諸法影像，是「數、隨、止、觀」的工夫，「五還六淨」是一念即空即假即中，三諦圓融之「內自證」法；諸法實相；可知胸懸寶鏡照乾坤，是一念三千之一念現前時的生命況味。己心之淨念即是善知識善護念之自轉法輪，法華經者當，心恆常不捨善知識。

無念是修禪學佛最高境界，所謂供養一百個阿羅漢，不如供養一個

無心(無念)道人。這個工夫如果用得上手，心智非常名利的。行者不要當面錯過「諦觀一念心」的功夫，不論做工作、走路、靜坐等等，隨時都可觀這一念(當下心裏如果很亂，就沒有一念)。

此一念在何處，例如我現在正在寫一念三千，文字的思惟，寫到何處清清楚楚。現在這一念正在做什麼，自己看得清清楚楚，時時觀照。如有很多妄念觀都觀不散的，觀這邊，那邊又起，交織為一個網，修行人不可落入一個無明網(被五陰纏縛)，觀不散時要加緊用工夫。諦觀，用多種方法，禪宗用罵、打，都是對治，並不是不理它，不過不理它也是個法門。但若妄心起不理它它仍然起時，是自己不夠力量，我們就要理它，如果捨得就罵自己幾句，又落入這個無明網了。故要觀它才知道妄念不散，諦觀一念心做到家時，這一念即是無念。

何以一念三千?!是一歸萬法，三千代表世界，萬法就是十法界，就是這一念中天堂、地獄具足，因一念清淨故，可照徹天堂地獄。

三千一念呢？！在一法界無邊境界中，一又收歸一念，這就是妙轉法輪，三千一念是萬法歸一，林林總總、人人我我、是是非非、得得失失，收歸起來又是一念，不散的。行者日日用功念經禮佛，不會用這個法輪來轉識成智，真是當面錯過。能達到一歸萬法，萬法歸一，這一境界，方可言「轉自性法轉」，即收放自如，任運自在。若心念不能收放自如，即自性法轉、未轉，自性法轉未轉呢？即未達四無量心境地。二乘人入賢位，聖流未斷煩惱，到了四果才斷。

行者對於忽湧無量無邊世界，而不執著，才可回原三千一念，若有執就不還原，因一念三千，三千不能一念，就住在煩惱塵埃裏；若能一念三千、三千一念，即無住，「因無所住，而生其心」。

這是自性法轉輪的功夫，若有執就不能回歸三千一念，自己可知道剛剛起種種妄念，忽然間念頭一轉，將之收攝起來，這是三千一念。自己知道力量不夠時，就持咒，持心咒！修行很難才能做到三千一念的境地。中國之西遊記，其中有幾許妙，孫悟空起一念古怪，就變了很多古古怪怪的東西，但忽然起一淨念，眼前剎時青天白雲。

學佛重在轉自己的法輪，自己做得主，我們凡夫，誤為一念三千就是一個心想到很多，那不是一念三千，是三念、三千世界，三個妄心就有三個世界，行人有一念心，可觀察無邊的世界。普通凡夫，一個世界、一個心，無數妄心，而產生無數的世界，這是凡夫的心念。

智者大師悟這一念淨心，可遊觀三千世界，遊而無執著故又可回歸一念，不執三千。唉！這是美妙的功夫，行者只要肯用功，止觀研心，此功夫有何用處呢？了生脫死都是用這個功夫來圓滿的。

這樣容易了生脫死嗎？這是大事，即是在我們日常生活中，觀照如何一念三千、三千一念，用慣了，可出無明生死輪迴。我舉例：未入佛門之心與入佛門學佛之心念是不同，可知，三千三念與一念三千是不同的。

一念無念，就是般若淨智，再進一步，是無念無不念是菩薩慈悲心的精神。此妙法就通達了「開示悟入佛之知見道——諸法實相」。我們不要以為這是看經、讀來記來的，這是由禪觀，念念止觀現前，體會而來的，雖然經論也是這樣寫，但是行者須如說修行，方可至一念無念是般若淨智的境地，淨以後再發揮是無念無不念之菩薩悲心精神。《大乘法要》曰：「一塵不染、一塵不捨。」一塵不染是一念無念、一塵不捨是無念無不念，一塵不染是煩惱無邊誓願斷，一塵不捨是眾生無邊誓願度，即如觀世音菩薩、地藏菩薩下地獄救眾生。

學佛要法法相通，要運用無邊，如此學佛才是真修行，智者大師期望法華經者，由自己身心性命觀照起，如果時時用功，如此頭腦就明淨，人即有力量，當然可漸漸達到遠離顛倒妄想夢想，遇事不慌忙，心中有主宰，因有一念，一念是道念、法師品的柔和善順之念，則時時可提起獨立無畏精神，如何才可無畏，因有悲智的力量才能無畏，法華經者要先求自度，故修在小乘，行在大乘，是必然的道理。

故我早年在自己洗心室住了一段時間，這是真用功的人獨居獨行的好處：不開腔，說話是傷神的；方便觀可自反省，行止觀之持戒清淨懺悔門，容易修定起觀照。這些是準備工夫，來實踐法華經者菩薩精神的六度波羅蜜。

三千一念、一念三千，是非常扼要的用功法門，令行者知道心散亂了，但剎那一念迴轉，可收歸一念。若平時不能攝念，真是人海茫茫的流浪兒，行者修學禪觀必能三千一念、一念三千，而自轉法輪，而入法華禪三摩地。

（二〇一五年五月五日，子時三更）

靜裏乾坤

體解「惺惺」與「寂寂」。「惺惺」是念佛不昏沉，心在醒覺的狀態，心安氣定是助道因緣，念佛時、心中有菩薩莊嚴慈悲的觀念提醒在心中，即是心中有佛理，而能觀念信解受持佛的悲智。身柔軟心明利，微微涼風、落葉習習發響而覺，進一步感應寂寂的培養。「寂寂」是心念佛時，心不離佛的本覺觀念，將入空觀（從假入空觀），心不離佛，覺不離心，心開意解，念念捨念念休，捨之又捨，休之又休，捨到無可捨，像是貫通一呼一吸沒有了界線，泯滅了生死的邊緣，攝受了，便是得力處，自然本覺常在，得見好消息。

所以無惺惺何來寂寂，因之，惺寂心與昏散意是一體兩面（智慧與愚痴亦然）。行止觀者，境智冥一，人法俱空。於三業之中，體聞佛知見；就生死五陰之內，顯菩提心。念佛心心中佛常念佛，人類心靈的經歷，由孤寂至光明燦爛的過程，從混沌未明到豁然開朗之路徑，「歷境驗心」。

心法雙忘猶隔妄，色塵不二尚餘塵；百鳥不來春又過，不知誰是住菴人。

示眾偈曰。

「學道猶如守禁城，晝防六賊夜惺惺。」——〈華亭青龍菴沙門釋妙普傳二〉（雪竇持）T50p926a

「一念忘緣寂寂，孤明獨照惺惺；看破空中閃電，非同日下飛螢。」——憨山大師

感高僧文人讀書人對歷史文化使命的發展，開拓了自我慧命，也傳承了道統。「法事因緣」誠，憨山大師虛心地坦示修行佛法的消息。用心於一切道務緣務事務，觀生命只是平常，如許淡然，而常新祇是一如，性分中之如是如是也。

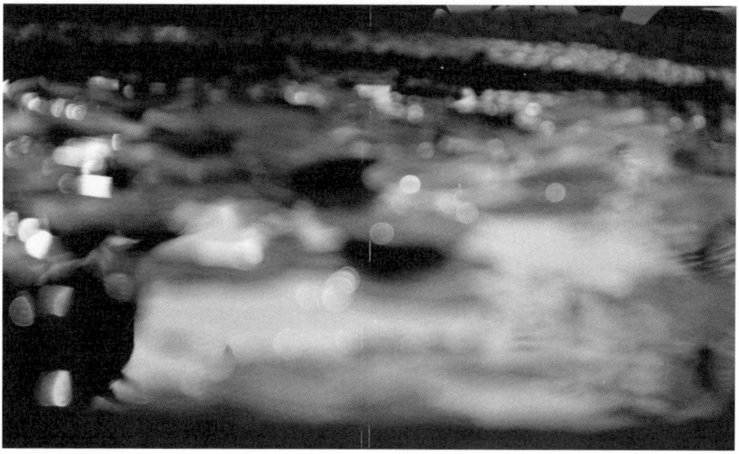

五品弟子位

《法華玄義》之境智行三十妙，乃教觀相資入實相門之知津。

無量「妙境」現前，是天台法華經者，論禪定後，所開拓出的生命境界，消融一切義理名言之時，即中道妙境之湧現，是第一義諦。此乃禪之「境智行」三十妙旨歸也，觀法之終極不思議者，即「妙境」現前，「妙智」無量；境與智相望，以智導三業，行菩薩道菩薩行，悟三諦境之玄微，能生十法界諸法，此乃智者大師於妙諦境、妙觀智，發展而為一念三千之菩薩精神。〈法華經．安樂行品〉，開導法華經者，迷悟之間的關係，迷（無明）時「一念三千」之境如「眠法」；悟（明）境「一念三千」如「正夢之時」，直至六即佛之觀行位相似位。

止觀明次位：三智一心中五眼具足圓照，名為了了見佛性。（T46, 96）

觀之，智者大師「一色一香無非中道」，凝心攝念之妙觀察智；心經之照見五蘊皆空的「照」亦是也。觀見一朵細微的花香，一塵不染，其宗旨，宗在明心，旨在見性；明心見性，可以窺見《法華經授手》所謂：「如天河之不息似孤月，以常輪古今如是。諸佛古今如是，眾生無不具此蓮華。能悟此蓮華，即得自己妙法。故以妙法蓮華。（X32, 611c）」之一大事因緣；而從一朵花香，可以融貫開示悟入佛知見道的美妙本懷。《法華經》〈法師品、安樂行品〉，開導法華經者，如何行菩薩道。則當修「行處、親近處」以助行持；自然得入法師品「三軌法」——披如來忍辱衣，坐如來法空座，入如來大慈悲室，之安樂行的行處親近處，得以從法華三昧之一乘妙觀，顯三德秘藏。此所謂經藏禪也。

佛法之經藏禪，有義學之理，有性分之旨。義理之學，有跡可尋，義理分析而議論，乃「析空」之學說。而性分之旨的禪行止觀，乃力行親證之「體空」境界。

此二者分不得，亦合不來；知識與經驗之二而一，一而二，是故研幾義理，而有親切之實證體驗者，方能洞其玄奧，玄領默契，體其真源之涯。

智者大師悟「介爾有心（一念覺），即具三千」，乃天台性具善惡之教觀與止觀，之法要，肯定了「諦觀現前一念心」的觀心法要，也是明心見性的根本釋義。「以慈修身，善入佛慧。」其機密機宜，為學佛者契入參究之端，天台本旨「性具善惡染淨」是觀心之契機，善與惡之相消無端，所謂「諸惡莫作」，自能「眾善奉行」。學佛是自家之事，當須自己認識自己（主人翁在），調心攝意，現前一念心的六塵緣影，是從己心之六根門頭來攝養，來諦觀，照見起心動念，進而修攝悲智精神，使當下現前的一念心，是關懷社會，是關懷有緣人。

又以增進心修行五悔兼修六度。福德力故倍助觀心更一重深進。名第四品也。……此心修行五悔正修六度，自行化他事理具足。心觀無礙轉勝於前不可比喻，名第五品也……五品之位在十信前，若依普賢觀，即以五品為十信五心。（T46, 98c）

法華經者止觀工夫之五品弟子位。

一、隨喜品位，內以三觀之智、觀三諦之境，外用懺悔、勸請、隨喜、發願、迴向等五悔勤加精進。

二、讀誦品，信解隨喜，讀誦講說妙法之經。

三、說法品，以說法引導有緣人，以此功德，觀修自心。

四、兼行六度品，觀心，兼行六度。

五、正行六度品，觀心功夫行至，自行化他事理具足，而以六度修法為主。

〈法華經・分別功德品〉，《法華玄義》卷五上，《法華文句記》（T34, 343）卷二十七以五品弟子位解三慧。前三為聞慧位，兼行六度為思慧位，正行六度為修慧位。

如來使的智者大師，說自己為五品弟子位的法華經者。

鏡影

期盼人我相生，修學法華經者在行持的思想上，依持「法雨潤人華之悲智教化」，則止觀研心漸進，潛力開拓，匯融一心三觀之般若淨化思想，潛心三諦圓融之菩薩悲智精神。

探索釋迦文佛菩提樹下降心魔法要，是化通，法華經及智者大師三大部、小止觀與釋禪波羅蜜之旨要。多源於法華經般若系之淵源，這不祇重視佛法教義研究之學說，而更深度尋研佛陀心源，開展菩薩慈悲教化精神，指引人生之終生教育，三業淨化教育，所以佛菩薩是人類的大導師。

緣起論說明宇宙人生一切一切的關係，是相依相資，是緣生緣滅，所建構的緣起性空論，破除遣蕩世人慣用六根之聰明。天台以法華為宗骨，以大論為指南，以大經為扶疏，以大品為觀法。（湛然大師《止觀義例》T46, 452c）其所用義旨，直接關係到禪法的修行功果。

智者大師法華三昧之「真法供養如來」，乃悟一念三千之觀法供養。《摩訶止觀》「生死縛著勞我精神，非空不解。……賢聖以慧為命，慧命非空不立。……法位非慧不入，空慧能速入法位。」（T46, 85b）

「諸佛兩足尊，知法常無性；佛種從緣起，是故說一乘。是法住法位，世間相常住；於道場知已，導師方便說。」——〈法華經．方便品〉

佛心與眾生之心，在未起妄念時，本來就是不思議境智。佛陀教化弟子，修攝妄心，妄要空，則是無著智慧，就在這一剎那間的五陰識心，當下是不思議境。

《法華玄義》：「為令眾生開示悟入佛之知見。若眾生無佛知見，何所論開？當知，佛之知見蘊在眾生也。」（T33, 693）

止觀功夫即是法華三昧，「佛自住大乘，如其所得法，定慧力莊嚴，以此度眾生」。法華經者的定慧力莊嚴，是以平等大慧，安養其心，依般若為觀法，而熏修，而顯體，般若空觀助顯止觀妙法，而妙用無窮，諦觀世出世法等現前時，己心當適應相安而共處，人人相安，物物相生，人與物共存的「無緣大慈同體大悲」的觀念。這是天台禪觀，旨在《摩訶止觀》一念三千，三千一念。

止觀之下手工夫，但觀一念心（第六意識），為所觀之境，即是唯依現前一念心起修，慧心為能觀之智，能深心契悟的入佛知見，乃自己之力，所謂己心中所行門。

（二〇一九年四月十日，子時宵分）

受職菩薩

點燈酉記一段前日在學校與護持者的對話。您在日本住了十一年，現在會思念記憶日本的什麼。「什麼」二字在我的心中迴旋著，我默默告訴自己「轉教付財，實需善根福德因緣」。本地風光，如何使之常住斯景。光影如斯，覺「身、息」之相不實猶如聚沫，覺「心」聽至意念之底，那依稀的話語音聲，轉瞬間又消散無蹤影，三分眼隱約注視了天涯孤影，萬物隨風雨飄落，隨光影自在。

佛觀世法如光影——《華嚴經》（T9, 6b）。是啊，剛回台三至五年間，總是有九月鄉愁秋影像，日本應是我的第三故鄉。記憶裏，日本表參道秋天景，葉子逐漸稀疏，枝幹依舊婆娑，冷冷的空氣裏，強烈的明暗間，散發著歲月痕跡，流光瞬息駒過隙，逝水年華，然而看見的是，心靈的澄澈。意境上，依稀聞見生命凋零之聲，看透世事的豐碩者，有著無常的身體，固然無法欣欣向榮，生之裏，秩序分明，如天心般，光含萬象，輝映於內心深處，心月孤明，如禪心，有著「無著無依處智慧力」。

這樣的光影鏡影，猶如〈法華經．信解品〉：「自念老朽，多有財物……無有子息，一旦終沒，財物散失，無所委付。是以慇懃每憶其子，復作是念：『我若得子，委付財物，坦然快樂，無復憂慮。』過是已後，心相體信，入出無難，然其所止猶在本處。……領知眾物……，而無悕取一飡之意。」此品說長者窮子譬，慈悲的長者父親譬佛，愚昧的窮子譬三乘，佛轉教付財於眾生譬成佛之記莂。這中間歷經五個階段：父子相失，父子相見，父命追誘其子，子領知家業，父正付家業，至此受職，授記，以心傳心，一真獨露，佛子領悟平等一味之旨。

華嚴經之菩薩「受職」，這深刻的印象，使學佛四十多年間的自己，成為心中的幽微玄義。「十地菩薩示受佛職位，如來十號是佛職。不讀《華嚴經》，焉知佛富貴。此一真心，可謂富貴，可謂尊極。」宋永明延壽禪師（九〇四—九七五年）《卍續藏63冊；心賦注卷三》法雲地第十地菩薩示受佛職位，諸佛以智水灌其頂，以為受法王職之證明。如來十號是佛職。

悉達多太子菩薩在兩千六百年前，見到人世間無常的現象（八苦），而一心想要至不死鄉，欲飲甘露泉，來畢竟生、老、病、死等八種。於是捨了王位，出家修道，六年苦行禪坐入定，在苦行林日食一粒痲麥。憨山老人法筆下，形容太子菩薩多年苦行瘦骨如柴，而放棄無法從煩惱的束縛中解脫的苦行，於是在尼連禪河畔，接受了牧羊女的粥供養，太子菩薩恢復了體力，來到菩提伽耶，菩提樹下禪坐，發願不成正覺，誓不起於座。

心似冰霜骨似柴，六年凍餓口難開；誰知忽睹明星上，落得盈盈笑滿腮。

——憨山大師

經典記載著，太子菩薩菩提樹下「降心魔」的偉大精神經過。七天七夜的禪觀，第八日時值臘月初八、在曉星餘月的清晨，破曉之際，悉達多眼望天際璀璨的一顆星星，而廓然開悟。是啊！信受奉行懇切的心境，如同經文的偈頌，是一首首詩句，一首意思無限的詩歌，吾人讀之，穆然沉默地諦視，環境人事物，己心之起伏，吾人哭笑間都是宿題功課。尋解，幽微隱於微茫遙遠深邃的真實性，實際面，如如之心境。

〈華嚴經．入法界品〉給了我生命邁進的引導。〈華嚴經．卷三十八．十地品〉：「一心瞻仰欲聽說……寂靜。……善清淨深心思覺，能成就福德智慧，大慈大悲不捨眾生，入無量智道，入一切法本來無生……無性為性。……離一切心意識分別想。」

法華經者，於心無疚之人也！「照見五蘊皆空」，因而「度一切苦厄」，誰人能照！又誰人肯照呢！以智先導三業，寂然不動心生歡喜，是般法華經者的四安樂行（身口意誓願安樂行），天台以般若為觀法。人，生存的三件大事，行為、語言、思想，均以智為先導，是華嚴經淨行品裏，智首菩薩問文殊師利菩薩的修行次第法。生命尊嚴，歲月可貴，靜思靜慮，人生之大事，生死平懷，唯有盡獻心身，如燭光燃燒之時，光照自己的同時也照了有緣人，而自身之光燃盡時，將有更多的燭光，繼之，而燃之，而照了，此乃菩薩受職，佛職的意義。

此境誰會得

當繁花落盡，依然初心，寂靜無聲等待，果實落地後，種子它繼續另一階段的生長，「智者」的生命總是充滿了，落盡滄桑後的清明淡然；「慧者」知道完成使命後，需再「向上一著」，到發現自己，處於定慧之境，如明月清風的影子在寒空映照寒潭。

明月挂寒空，光徹寒潭底；上下本自同，看來無彼此。
流水不是聲，明月元非色；聲色不相關，此境誰會得。
——憨山大師《夢遊集》

（二〇一七年十月八日）

「尋解」如來使之思

十二年間，三個紀念性的年月日，讓法華經者進入另一生命行程，一條似解未解、尋之又尋的路徑，「入無生智，到無依處」的尋解。一九七四年起始，四十多年如一日的學佛歲月，十八年前加速邁進磨練著法華經者，深心念佛、觀見自己，也柔伏其心地穩定淒絕之苦，藉著善惡染淨的生命呈現方式，尋解了己心之精進與柔弱無助，己心似乎迷悟在相對待的影像理，又好似泰定在止觀研心中，來去之間遇見了心君、主人翁，又好似鏗然一葉醒心光。

蛻變，直視著，在看見與調整中，動靜調柔，看著一個歷境驗心，試鍊過的己心，淬煉熔合出「菩提淨妙」的模樣。早在三十多年前，「法華經者——菩提淨明鏡」，好似為自己的心身性命篤定了課題，「妙意根善護念——唯佛與佛乃能究盡諸法實相」這幾句話成了十二年滄桑歲月的信念語。

心念憶持著，諸佛護念、植眾德本、入正定聚、發救護一切眾生之心的法華經者。其己心中所行門，六妙門之工夫教工夫。止觀還淨都不說，端的全神在隨息。

佛告普賢菩薩：「若善男子、善女人，成就四法，於如來滅後，當得是法華經，一者、為諸佛護念，二者、植眾德本，三者、入正定聚，四者、發救一切眾生之心，善男子、善女人，如是成就四法，於如來滅後，必得是經。」（〈普賢菩薩勸發品〉第二十八）

而《般若心經》的「照見五蘊空」，是由「心」來修觀來照見，天台所謂「諦觀現前一念心」，是「全性起修」的法門，真正從本性上起，因地起修德是因地的慧命開拓。如何修呢，如「深心念佛」，念佛心心中佛常念佛即是；性分中念佛菩薩聖號，完全貫通到自己的心法上，觀息法亦復如是，修隨息，隨至一呼一吸的氣息，由長息而短息，短息至氣息綿綿密密，幾乎沒有一樣；息出入綿綿若存若亡，資神安隱情抱悅豫。此是調息安心之息相也。似乎是微微入定的狀態，此時就短息了，短到幾乎這息都還沒有出鼻孔，就沒有了，若細其心令息微微然。人貴在專心善用其心，六妙門之止觀還淨都不說，端的全神在隨息。

可知「照見五蘊皆空」是法華禪，是觀音妙行，亦是聞思修的行法，如何照見是核心，以能觀之智慧，洞澈身心世界無物可得，而五蘊（身心）乃所觀之境。天台所謂一心三觀，觀不思議境是也；真實不虛，開拓深般若的妙智慧。人得以泯滅念頭上憂思苦惱，事實上，心念的波動是宿生帶來的，人碰到心中難題時，身邊的親朋好友是欲助不能，所以最能解除伏結煩惱的是己心，心解脫了，智慧自能成辦生命中的一切事物。

因之生活生命人生的苦是要己心去解套，我們時時心中要提起一個覺悟的心，來照見（本修法門）身心（五蘊）的變化狀態。本修法門是修不離心的方法，是根治起伏的妄念，使之安隱住於法性上。修不離心之深心念佛，在行住坐臥均不離心念上的慈悲智慧，如稱念觀音菩薩，非口念，而是要觀念、修觀音菩薩的智慧慈悲清淨心，而後，修到己心是慈悲智慧的念，可以斷我們的妄想，因之，修不離心才能說是法門工夫，久而久之工夫教工夫，才能夠「相應，與慧相應」，叫做「用上了功」，所以本修法門，也可說是聞性法門。有門才能入，依法華禪悟入佛之知見道。

釋迦文佛也是修行本修法門成等正覺，乃至諸位菩薩亦復如是，觀音菩薩是修耳根圓通，反聞聞自性，聲聲一聲，味味一味，一體同觀真實性。觀音菩薩是修聞聲、聞性法門的，是如來藏，修歸自性實際真如，是如來藏中不許有識的觀音法門。所以《般若心經》所談的行門屬智慧為多，而〈觀世音菩薩普門品〉則是慈悲之願多。

每一轉瞬間掠過的念頭，抑或不經心念想，如像現鏡中，觀聞識之，那現前起伏的法塵，均是八識田中相對待的種子，謝落萌芽，茁壯了，染淨善惡，這便是「照見五蘊空」之觀念處，心知廓然，照了無明癡種子。天台以法華為宗骨，以般若為觀法，智者大師暢演三大部五小部，《摩訶止觀》開出十乘觀法，其核心之第一觀不思議境裏，又闡明十境，攝盡心法之「觀陰入界境」，是法華禪般若禪，觀心的樞紐位置。

天台禪旨一念三千，一心三觀，是觀念之念想，今心之現前之相，照見了空相，是諸法空相，當下是心相（想）澄澈豁達之覺（觀）。法華般若禪法，照見三惑煩惱，識心自然明，一切明了，亦是五蘊皆空，度一切苦厄的法門。

觀見身心（五蘊）緣起性空，便是法華經者清靜質直，修大慈大悲色身常護眾生的前行法門，觀自在菩薩行深般若波羅蜜，照見了，則決定能應時為作佛事，慈定清涼光等照眾生心（自他），是決了見思惑、塵沙惑、無明惑之智德斷德恩德處，三德合能生真俗中三諦，現虛空影像開悟眾生心。

所謂性具染淨善惡，乃佛之知見道、蘊藏在眾生五蘊心海裏，而論之，而暢演之，方可超然靜深出界。佛為一大事因緣，為令眾生開示悟入佛之知見道，則諦觀一塵中亦有無邊妙經卷，珠珠體瑩然，自是可與法界月影智慧月，遊乎大華嚴毘盧法界也。

（二〇一八年三月二十二日）

凝心攝念——數息觀息是觀一念心

禮佛調息，體、生活裏提起放下之淬鍊，它如同觀照一呼一吸的調息。我們平常要把持住氣息，觀照它調順它，方法為天台智者大師止觀數息法；呼息、從鼻端呼出去至盡了（出息），入息、自然地又吸入，如同由鼻端的地方進去，進到不能進了、自然的（放下）住息。第二息第三息至第十沒有妄念，出息從鼻端放到不能再放又再吸，如是輾轉觀念出入息，我們整個人的神情神態自然的凝攝，〈法華經．安樂行品〉：「常好坐禪在於閒處修攝其心。」止觀研心，自牧，身息心三事調和，常自思惟吾人在生命教育的過程，或許會因觀照一念心，即能用悲智，明白的告訴自己，什麼叫「生死」？在佛法的精神領域上，生活中沒有智慧的生命，就叫「死」；生命智慧日復日增長，由淨智生起無量慈悲「生」；此之生死一念間，一呼一吸即一生死，一個念頭一日夜亦是一生滅。

氣息是我們的生命，安般守意，調好生命的呼吸，進而開拓慧命。日用云為有很安定的思慮（禪為靜慮思惟修）沒有雜雜的念想觀念，保持頭腦明靜，遇事物自然能有明利的判斷，心中安定了自然有禪味，所以數息觀是觀一念心。

〈莊子．知北遊〉：「人生天地之間，若白駒過隙，忽然而已。」是呀，深夜宵分，獨自檢視生命種種因緣果報，醒悟了些許觸動，覺世夢，世事皆夢，何者是醒寂。我們自己本身究竟敬信的法理法則（佛種從緣起），智者大師解讀法華經的祕要之藏，用止觀十乘觀法的自轉法輪，來妙用妙行六妙門（功夫教功夫），這裏面融貫了智者大師的四部止觀的基本功，亦是平素善養宗教情操，為自身之寶的法門。

（二〇一七年十一月二十日）

般若遣蕩・止觀建立

意念湧現的影像，無關特定的人事物，它只是暫時的印記，一切諸法如水月，唯心所現，唯識所變，性分內的調柔，動靜調柔，方是入道修道之門。

「修習佛法之道」是學佛者本分事，學佛法者當深契為學也知難，佛法之道，簡而言之，「行深般若波羅蜜時」此之時，當下在「道」上，止觀研心。般若遣蕩、止觀建立，智者大師之摩訶止觀乃「絕待止觀，亦名不思議止觀，亦名無生止觀，亦名一大事止觀。……無可待對獨一法界。故名絕待止觀也。」（《摩訶止觀》卷三上）

觀寂洗心，禪寺晚課鐘罄聲，如寒潭內歛定靜，氣韻生動的佛號入耳際，常住常住，常住真心，生死齊平菩提淨明鏡。談何容易，深化深化，深化習氣，佛種從緣起，是故不滅遇緣而生，生息交替，如是思「性修二德」。《法華經》法喜之平等大慧，獨立無畏之精神，《摩訶止觀》之「多薪火猛，糞壞生華」。安住吧！深行吧！簡約吧！止觀之捨丈求尺，捨尺求寸，捨寸求分，簡約至五蘊的識蘊而轉識成智，「識蘊」即是諦觀現前的這一念心，觀照現前這一念妄心，這番意境功夫的啟示，呈現「教海同登岸，觀瀾悟性空」的六根〈見聞嗅嚐覺知〉攝養工夫。

悟心為慧，息心為道。

（二〇一七年十月十三日）

自轉法輪——一念無念

洗心室內，默默地凝攝更深沉的寂靜況味，日夜懺悔思言行後覺察之已遲，自持凝攝「內視兩眉之間」以生效有助於「如說修行」。一念心，是「空無」，是「空相、無一切妄念」，是諸法實相。因之一念無念，是正念現前正知見，無一切分別執著妄想的無念，所以一念心，橫豎交徹，皆法界體。《摩訶止觀》卷六下所謂：橫豎一心明止觀，橫豎時空，大如微塵。「祇是無明一念因緣所生法，即空即假即中不思議三諦。一心三觀一切種智。……雖種種說祇一心三觀。故無橫無豎。但一心修止觀。……祇約無明一念心，此心具三諦，體達一觀此觀具三觀。」

由是觀之，不如是中亦如是，度過了，可說「空」亦可說「有」，「心念不空過」即是有，鮮明心境抒展身心的活用，一心三觀，一念三千之一念一心是自轉法輪。

法華經者菩薩性在心中，則晝夜吉祥，一念之緣，一步一步歸來薰修菩薩五十二階位，位位緣生佛性，耽味菩薩性，經一番功夫，三軌法能生佛。

在步步踏上修習法華經者的路程，莫忘初心，頂天立地的勤行二十五方便；修戒定慧滅貪嗔癡，信受憶持讀誦五種法師行。所有善根功德皆隨喜，日夜禮佛默讀法華經，感佛經是佛學與文學之間、相生凝煉成就的般若精華文字。

（二〇一七年十月十四日）

大如微塵

消息瞬間浮現腦海裏，興心動念，正觀現前，將初萌芽覺受的理念，化為文字，自然需經過人「這邊事」的思惟修，來書寫描述一下清淨無為的「那邊事」，如是，心君自然寬闊而任運自在翱翔於「大如微塵」。從己心所觸及之境況而出發，至他處之無邊無量境地，來資養讀書乃為講求生命學問（漏盡天明）的關鍵。這即是明鏡懸胸，定慧薰法，培養「定善：十三觀」與「散善：三福（世福戒福行福）」之全人格的學養，使知識能為智慧之用，慈悲以善導智識，才能希望被人世間讀得懂「那邊事」的況味。

今午轉瞬間又讀懂一層憶持的「大如微塵」，著眼正視於環境的任何一處，「止觀現前」是個基本的延伸展出點，繁興大用於浩瀚無垠之宇宙間，方有可說可見之境地。〈法華經．化城喻品〉「大如微塵」的觀念，華嚴經如來出現品「破一微塵出大千經卷」的義幽玄，心月孤圓，究竟離言詮的盡大地是沙門一隻眼的理念，說明了、即便小至一微塵，均有其自國度之世界位置，我們所見之宇宙本源，延展至與之無邊際更遙遠的宇宙間之關係，則可無窮盡而無需返回原點之局。

有了《華嚴經》與《法華經》的生命學問圖像，我們何時何地都不可能忘了，我們立足之地與其他的世界是相連而具密切關係，如此這般田地，我們才有機會獲得出路，這樣一來將有更鮮活的空氣可呼吸，心弦所撥弄的音韻再幽微精髓亦可通於他人之心。佛法的靈氣靈知，來至於寂靜的內心。寂與靜者，「靜」乃以不動之靜臻至清淨之淨。寂呢，靜了一些時日，心全然的沉寂於一境界的況味，如是，將可遠離顛倒夢想，無明就會漸漸離開了，我們的禪思智慧因而開拓。

復次，佛子！如來智慧無處不至。何以故？無一眾生而不具有如來智慧，但以妄想顛倒執著而不證得；若離妄想，一切智、自然智、無礙智則得現前。佛子！譬如有大經卷，量等三千大千世界，書寫三千大千世界中事，一切皆盡。所謂：書寫大鐵圍山中事，量等大鐵圍山；書寫大地中事，量等大地；書寫中千世界中事，量等中千世界；書寫小千世界中事，量等小千世界；如是，若四天下，若大海，若須彌山，若地天宮殿，若欲界空居天宮殿，若色界宮殿，若無色界宮殿，一一書寫，其量悉等。此大經卷雖復量等大千世界，而全住在一微塵中；如一微塵，一切微塵皆亦如是。時，有一人智慧明達，具足成就清淨天眼，見此經卷在微塵內，於諸眾生無少利益，即作是念：「我當以精進力，破彼微塵，出此經卷，令得饒益一切眾生。」作是念已，即起方便，破彼微塵，出此大經，令諸眾生普得饒益。如於一塵，一切微塵應知悉然。佛子！如來智慧亦復如是，無量無礙，普能利益一切眾生，具足在於眾生身中；但諸凡愚妄想執著，不知不覺，不得利益。爾時，如來以無障礙清淨智眼，普觀法界一切眾生而作是言：「奇哉！奇哉！此諸眾生云何具有如來智慧，愚癡迷惑，不知不見？我當教以聖道，令其永離妄想執著，自於身中得見如來廣大智慧與佛無異。」即教彼眾生修習聖道，令離妄想；離妄想已，證得如來無量智慧，利益安樂一切眾生。佛子！是為如來心第十相，諸菩薩摩訶薩應如是知。

——〈大方廣佛華嚴經卷五十一．如來出現品〉第三十七之二T10, 272c

（二〇一八年一月三十一日）

淨治心寶佛影觀

妙福端嚴身。初春來了，花樹善用全身化為美麗；而後凋零，默默等待下一次再生的機會，夕陽餘暉下的秋海棠告訴我說的。今日讀〈賢首品〉我意識到智者大師《摩訶止觀》的五略十廣概說了〈賢首品〉的修行功夫，可說華嚴禪之旨趣在〈賢首品〉能綜觀之法住法位法如法爾。制心一處，無事不辦是華嚴禪樞要，〈賢首品〉把禪的善根發相也說清楚了。《摩訶止觀》的五略：一發大心（約四諦顯、約四弘顯發菩提心）、二修大行（四種三昧）、三感大果、四裂大網、五歸大處（秘要之藏）。〈賢首品〉的大意是依上二品（菩薩問明品第十心性是一與淨行品第十一文殊菩薩說一百四十大願來善用其心），解行圓滿後，所獲不思議果德而續有〈賢首品〉之淨信。〈賢首品〉第十二文殊師利菩薩問賢首菩薩的問題，而賢首菩薩用三百五十九句半偈頌來答覆，暢演無量修行勝功德，〈淨行品〉與〈賢首品〉都是說明以「淨信與誓願」圓成佛道。而〈賢首品〉是《華嚴經》裡重要的一品，此品可說是《華嚴經》的簡介。

我今日如是思惟，以智者大師觀經的功夫，讀懂了賢首品，必定知道《大方廣佛華嚴經》與《法華經》之思想脈絡，如何修證四十一品階次，以及了解一真法界諸法實相。「唯佛與佛乃能究盡諸法實相」修行證道「佛法妙」的基礎，信為道元功德母，從初信位一直到成佛，總共五十二個位次，全部貫穿了普賢菩薩十大願王，《法華經》第二十八品的勸發四法成就，以願導行，是普賢菩薩之行德。能夠淨信敬信而入，不用說解、行、証，就已經入佛種性了，法華經所謂佛種從緣起。華嚴經中普賢菩薩這樣說，但聞如來名號及所說的法門，聞而不信，將來亦能成金剛之種。〈賢首品〉講的是修行止觀法門，行是依著觀力而來的，而行必依德。因為信就具足了德，所以〈賢首品〉所教授我們的方式，就是教給我們如何淨信而誓願而得佛功德。

「佛觀世法如光影」華嚴經告訴我們說，依佛所體驗的人生觀，人是自己的主宰，用智慧思想善導我們自己的情緒，因為自己的精進努力與智能的聞思修，信解行證，充分顯示了思想與行為（三業）的密切關係，實學實用的迴向，將心悟心。以智慧月，照攝法界，了達一切無所得。啟人遠思，曠人心境。

法界月法界影智慧月
於淨心界而現影像
此乃法華經者：

神凝千古，一念萬年，如碧落長空，如寒潭皎月。……如天河之不息似孤月。以常輪古今如是。諸佛古今如是，眾生無不具此蓮華，能悟此蓮華。即得自己妙法。（《法華經授手》X32, 611b）

以「道」行「理」，依「道」行「事」，薰修極薰修，純淨極純淨，得一切法甚微細智。

（二〇一八年二月十九日，中夜（初四））

現前遠行地於十地之功——情存妙法

誦《華嚴經》總是讓人觀想到《法華經》的宗旨，佛、教化法語，能除三障煩惱病垢，吾人生活於法語中，如從佛口生真佛子（菩提心），體得寂靜故平等，如幻夢影、水中月、鏡中像，而能明力隨順忍，念念具足大慈大悲心，體得「三界所有唯是一心」，此乃現前遠行地於十地之功，為菩薩「留惑潤生」之註記，「動息不捨方便慧」，了達妄心如逐陽燄，如夢如幻現在前於清淨心，觀於空而集福德吉祥，即所謂「無生智光照」、「住菩提願海」，如是則菩薩雖行實際，不可思議三業而不作證（念念入住出起行而不作證），所以遠行地菩薩乃名成就不可思議身語意業，行於實際（真如實相）而不作證，亦可說遠行地菩薩成就了身語意業，身業清淨，言語無過失，心意歸向悲智，滿菩提願。心心寂滅不取證，自能法供養心益明，為現前遠行地菩薩智最明，如日舒光竭愛水。

如是觀之，菩薩以第七遠行地，功德圓滿菩提心法，功夫在於能入甚深無量智慧法門之現前，功德迴向。現前地宛如「慧心」遠行地猶如「智力」，菩薩以深淨心，成就身語意三業，以此智慧「深心妙行」，善導己身語意，而為眾生為照為導為善導。如是凝心攝念，從初歡喜地乃至第七遠行地，善修習方便慧，善清淨「深心思覺」，善清淨諸道法，善集助道法，成就智功用分，以此力故，自能從第八不動地至十法雲地，無功用行，成就一切迴向無上菩提。

第八不動地「深心妙行」菩薩，善根轉增明淨，一切諸作業，念念不離念佛（念佛心心中佛常念佛），一切心意識行皆不現前（住於法界無所動），譬如虛空之日月影現水中，因「深心」住不動力。洞悉法住法位法爾如是，福吉祥喜樂而得觀自在，無過失身語意，無過失三業意味著已捨一切功用行，即是得無功用法，身口意業念務皆息，而住於報行，此之生命況味，宛如夢中墮大河，剎那間能一心善巧，勇猛精進施方便，而便覺寤，一悟則所作皆息。

不動地菩薩心智淳熟調柔，福喜無量，轉入第九善慧地漸入佳境，安立如來秘要之藏，為受職菩薩地位（受一切智勝職位），善知蘊界處諦緣起善巧，真所謂善慧大智菩薩行處，真所謂安住法雲第十地之甘露見灌其頂，受大智職之微細三業秘密之藏，能令眾生身心清涼，理事無礙登職位，受職舒光照深心妙行，大悲安隱一切眾生，具足十定，其身普住無量境界，淨修一切菩提之行。

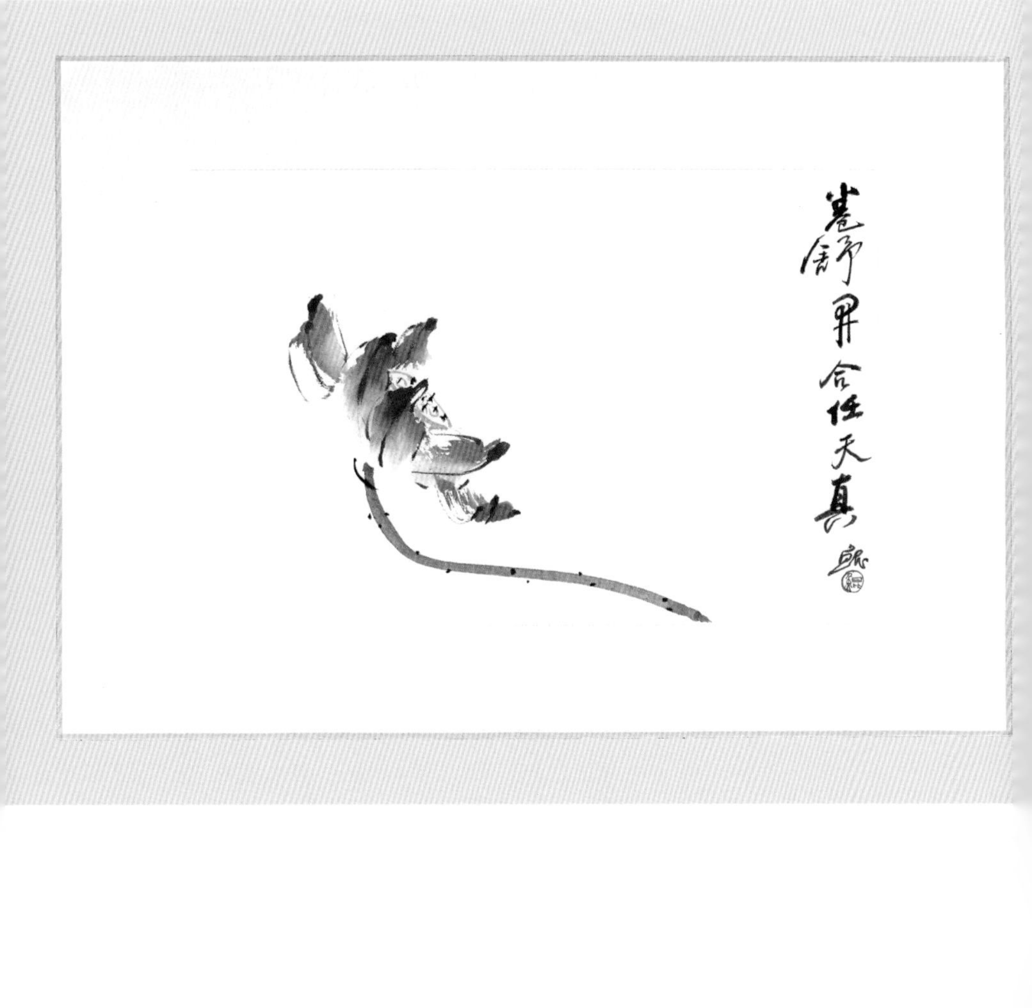

菩薩摩訶薩種善根時，以己善根如是迴向：我當為一切眾生作舍，令免一切諸苦事故；為一切眾生作護，悉令解脫諸煩惱故；為一切眾生作歸，皆令得離諸怖畏故；為一切眾生作趣，令得至於一切智故；為一切眾生作安，令得究竟安隱處故；為一切眾生作明，令得智光滅癡暗故；為一切眾生作炬，破彼一切無明闇故；為一切眾生作燈，令住究竟清淨處故；為一切眾生作導師，引其令入真實法故；為一切眾生作大導師，與其無礙大智慧故。……不為自身求快樂，但欲救護諸眾生，如是發起大悲心，疾得入於無礙地。……除滅一切諸心毒，思惟修習最上智，不為自己求安樂，但願眾生得離苦。

——《華嚴經》

（二〇一六年十月十日）

佛影——法界月法界影智慧月

誦完〈華嚴經．入法界品〉，步出大雄寶殿，已是一抹夕陽長紅灑落大地，立足於桂香，思惟「佛影」智慧月、法界月，法界影，華嚴經之理趣意境，訓釋文辭決了菩提心義，善財童子入住出遊法界，參學五十三位善知識。思惟這人世間一切的一切，我將之視為菩提器想，本性寂靜，故當善調順寂靜，令己之諸根悅豫，以智慧月普照心海。法華經華嚴經者當以寂寞無言無礙心為有緣人作佛事。觀照悲智融入呼吸間，此刻洗心室獨飲平淡法味茶韻，山上寂然無響，綿密細微回護心君，三七二一日行雲流水的放下，五日後又需過著「披上袈裟事猶多」

的日子，元旦至今難得的放下，親近華嚴法味與自己相遇，胸懸寶鏡照乾坤。

誦《華嚴經》與華嚴字母的當下，清澈影現己之性格和心深處的思緒習氣，隨文入觀，善財童子的五十三參善知識，這生命的歷境驗心，在喜樂心中，契之於如理修行恆住止觀心意寂靜。啊！「調伏己情，守護他意」吧！唯如是之以智前導三業，方能敬誦思惟經文訖，起華嚴字母而隨信行迴向慧命，隨法行互寂互用，周旋動作裏，鏡淨諸像自現，華嚴法華止觀研心，觀念文殊共普賢菩薩「佛性戒」，豁然隨樂欲善巧安心止觀，觀念「如來能以一塵內，普現一切法界影像不思議」。

佛子此刻，記一段華嚴法會善根隨喜心境，年年華嚴字母梵唱定住寂靜。「厚德載物」是今日誦了華嚴「入法界品」善財童子五十三參的覺受，今日畢竟了卷三十九之十三，反映了善財童子自我教化之覺性活

動，菩提心意於內心深處展轉湧動著，不斷的轉依，覺心漸增明，自然於信解行證中領解，菩薩五十二階位（十信、十住、十行、十回向、十地、等覺妙覺）在一念菩提心中齊成至寶所。子時三更禪寺「寂靜音」朗然自照「法界音」。

「萬峰深處獨跏趺，歷歷虛明一念孤；身似寒空挂明月，唯餘清影落江湖。」——憨山大師

（二〇一九年二月二十六日）

心月孤圓

人一日內，心的活動，若能於十二因緣無迷惑，那是需要「宿世善根流潤其心」，體得法住法界，對人事物不會任情起見，是生命的慶喜。體內的經脈之「氣」在一晝夜中運行一萬三千五百息，脈行五十度周於身，於佛法仍歸「諸法平等，諸緣是幻」。種種無聲的嘆息，到法華華嚴行者耳根，如風馳電掣之飛筆聲勢活耀，那是聚精會神深味傳遞，人間之思想無法認識其深之意識種子，惟己心可知，傳遞於那法師功德品妙意根之「淨明鏡」像，儼如澄淨之水，圓瑩之珠，雖寂寂而光吞影落。

明靜之學養於止觀，而明心淨意，般若相應。天台數息是初基，工夫教工夫，慈悲是工夫，時間是工夫，持之以恆即可工夫話般若，有依定人，行深般若即是禪，先當起大悲心；盡淨虛融，如何使，湧動的思緒遺盪「盡淨」，心境內明轉依「虛融」，湛寂自照，是般若禪法華禪者的觀心門。昔日悉達多菩薩，因當前一念孤明寂照，對治了太子心魔，由千年繁華夢醒來步入人世間，只為吾等人人、開示悟入真實性之灼見知見法界月影智慧月。憨山老人獨坐，且看動靜是何人，獨飲思歸般若華老家，無塵智照一念孤，影得還淨，只為將此身心奉塵剎，慧命細胞誠為眾生燃燒。宛若善財童子五十三參，心月孤圓、獨自離言詮，行了、山一程水一程、生之旅。

釋禪波羅蜜言，菩薩為成就四弘誓願而行禪波羅蜜。「菩薩因禪能究竟眾事，禪在菩薩心中，名波羅蜜。……如涅槃中說。言佛性者。有五種名。亦名首楞嚴。亦名般若。亦名中道。亦名金剛三昧大涅槃。亦

云禪波羅蜜。即是佛性。故知諸餘經中所說。種種勝妙法門。名字無量。皆是禪波羅蜜之異名。」（《釋禪波羅蜜》）

止乃伏結之初門，觀是斷惑之正要；止則愛養心識之善資，觀則策發神解之妙術；止是禪定之勝因，觀是智慧之由藉。（小止觀）因之《法華經》所謂：「佛自住大乘，如其所得法；定慧力莊嚴，以此度眾生。」

（二〇一八年三月三日，初夜）

因緣所生法

《摩訶止觀》在卷一、五、六所明示的一心三觀的觀心內容。「夫心不孤生，必託緣起。意根是因、法塵是緣，所起之心是所生法。此根塵能所三相遷動，竊起竊謝，新新生滅念念不住。」所言一念心起於因緣所生法，法塵對意根而生一念心，因緣所生是生滅法，所以塵動意根起一念欲心者，即因成假，念起相續不斷遂致行事，前後念次第不斷，即相續假，待餘無心知有此心，即相待假。

一心三觀，契入法華經法師功德品六根清淨位，妙意根為非縛非脫發真正菩提心。根塵一念心起，根即八萬四千佛法藏；塵亦爾，一念心起，亦八萬四千佛法藏；佛法界對法界起法界無非佛法。因之契入法華經法師功德品六根清淨位，此乃法華成佛之一的生命基調，〈方便品〉所謂：「入佛知見道故出現於世」是也，出現於世乃法華經之菩薩道行，亦是如來使之示教利喜，是一切眾生之大施主，願將一點法喜佛性種，化作人間妙意根的法華經者。

《華嚴經》普賢菩薩十大願之廣修供養與恆順眾生：「諸供養中，法供養最。所謂：如說修行供養，利益眾生供養，攝受眾生供養，代眾生苦供養，勤修善根供養，不捨菩薩業供養，不離菩提心供養。」、「菩薩若能隨順眾生，則為隨順供養諸佛。若於眾生尊重承事，則為尊重承事如來。若令眾生生歡喜者，則令一切如來歡喜。何以故。諸佛如來，以大悲心而為體故。因於眾生而起大悲，因於大悲生菩提心，因菩提心成等正覺。」

法華經與這二段經文，提起學佛向道是以發菩提心為基的道路，也正是法華經方便品「唯佛與佛乃能究盡諸法實相」者：佛法不離世法，「諸法」中之第一義諦，是「實相」，是實是理，於此正要令法華經者知道世間相即出世法，即理即事，不壞世間相，而成就「實相」。

《法華文句》釋〈方便品〉之「秘妙方便」，指向「唯佛與佛乃能究盡諸法實相」，之開示悟入佛之知見道的行門，與〈方便品〉、〈法師品〉、〈安樂行品〉、〈法師功德品〉相輝映。觀照覺照慈悲的心念，善結悲心「法緣」、菩提「佛緣」，讓「佛法」之緣的善根種子，深植於心，「佛種從緣起」，尋解明心見性成佛的方向，念念呼喚醒覺醒悟的心。《華嚴經》所謂：「因菩提心而成等正覺。」、「忘失菩提心，修諸善法，是為魔業。」

深入心念的幽微深邃處來理解，真是出家學佛之菩薩學處者的慶幸，如〈法華經．常不輕菩薩品〉：「億億萬劫，至不可議，時乃得聞，是法華經。億億萬劫，至不可議，諸佛世尊，時說是經。」亦如〈妙莊嚴王本事品〉：「一眼之龜，值浮木孔，宿福深厚，生值佛法。」修學《華嚴經》者，以隨順眾生，廣修供養，作為成就菩薩行，深妙善根的法供養。

何以如是領解，菩提心是一切供養的根本，心佛眾生三無差別，菩薩以尊重承事供奉眾生，發大悲心代眾生苦，視為己心供奉一切如來，歡喜佛心佛意，來深植己之慈悲心的體性。所以若令眾生、生歡喜心者，則必定能令諸佛如來歡喜護念，因為諸佛如來成等正覺，來自於己之菩提心的醒覺，覺照慈悲種子的體性，使之萌發。說明佛與眾生的橋樑是架構在，菩薩心行上，換言之，華嚴法華菩薩以大悲心而為體性，與佛接心，而開拓菩提心故，得以開示悟入佛之知見道，得以成等正覺。早晚的三皈依，都是提點自己皈依佛之知見，這是三皈依消歸自性

的深深意，將佛法轉向自心的妙智慧。智者大師的一念三千，三千一念是也。戒是無上菩提本，長養一切諸善根。因緣所生法，一切法都是因緣和合所生。

（二〇一七年十月十日）

觀息善識通塞

學習佛法，止觀研心之大道至簡至極，於心念氣息上，有時或許勢必需單一至色心任運相依為息之淳然，無經文教理佛號之意念的出入，因為此之一切悉在「禪」中、「淨息道息」裏。更何況於簡約中易定心靜慮思惟，身心泯然任運自寂，心自靜住了，無須制之，但凝其心……。四無量心為禪之總轄，如牽衣一角，慈悲喜捨者以究極四弘誓願，發菩提心，為菩薩修禪之所以，亦是因開拓清淨菩提之心，得名為菩薩。菩薩學處深心思惟，審知禪定，能滿四弘誓願與四無量心，為止觀研心之養心力心氣之所以。如是善識，止觀研心禪定幽遠，須涉淺遊深，善養禪中「境、智、行」。

今晨深感四弘誓願善養心力，四無量心善順心氣，則漸能善知體解，色心相依為息，是相應禪波羅蜜法門於，菩薩廣修供養恆順眾生之核心。五更天寂靜懺悔的靜坐，環視心君，道益堅，輕安。緣起性空，止觀研心是要義，恩師說：解惑朗照，人生之根本三大謎：宇宙之茫茫然，吾人對之是一大謎；世界之現象亦是一大迷「格物致知」；生死何處從又是切膚之痛一大謎惑。啊！身教猶須默教心教先啊！心了了則生死了，了生脫死，日日夜夜了、事事物物了。法華經四大安樂行，身口意誓願四安樂行，是歷境驗心，之了。

明代栯堂禪師山居詩：「人生不滿一百歲，今是昨非無定名；天下由來輕兩臂，世間何故重連城。」世出世法于栯堂禪師了如指掌，禪師悟語「天下由來輕兩臂」吾人在無盡的年年歲月中，感悟世間一切的一切，均是緣遇之機，需以精進的心力來觀待接納。真知味者，乃嘗盡了生命的酸甜苦辣澀，那才有鮮活的人生況味之境，然而菩薩境界之難得，豈是凡夫之所能測量，實必須心眼開明識之，「難得」之況味。

這人世間最美、最令人驚豔的東西，是肉眼看不見、手觸覺不到的，它是絕塵勞的自覺觀照，所顯的一念現前正觀現前。世間好語佛說盡，乃啟禪定後妙境重重，禪的根本精神涵於「止、觀」，湛寂一念之無念，無念是禪、是止、是觀；亦即是觀念思想的湛然澄寂的自覺觀照；即禪定後仍觀念常住真心之境，也可說是菩薩悲智精神，顯於禪前定後之功，悲憫自己更悲憫他人之無力自拔。細細感知察覺己心中的知見，我們會看到心念瞬間的轉變，成了己心想法的演講者，注意細聽我們的言詞，我們會看見心跡，言語它將成為自己的行動行為，如是之行為塑造了性格性情，我們會覺知發現自我的個性修養。禪止觀是深觀察覺自己的性格性情，明白覺與不覺的心念，訓練主人翁在的行門。

（二〇一九年一月十六日，初夜）

唯佛與佛

辰時。佛子深水觀音禪寺觀寂寮默坐，雷雨伴吟。啊！拜庭前的荷花安然無事否！轉瞬間，豁然開朗「天上天下，惟我獨尊」。如是平等獨立無畏的精神，今晨漸頓調柔地，我又明白知道了一層，生命自轉法輪之菩薩思想精神的思惟修。

「唯佛與佛乃能究盡諸法實相。」

（二〇一九年六月四日）

法華知津

鼻息，將何者為先後，呼與吸之間的前後，畢竟呼前又是吸，吸前又是呼。我經常好奇地想，什麼樣的生命力，人基本上於內在的最大願望，其實只是想一個人靜默著，讓自己在佛前靜思法華知津、默讀心跡。

生命之無窮無盡，心願之無邊無量，乃妙法平等之妙運融通，運行平等大慧，生生息息，息息生生，宇宙如是，生命亦如是。思之，諸法實相者，山河大地，行雲流水，花開花落，春去夏來，秋盡寒至，如是互融，如斯互映，人生於大塊，生死齊平，由少至壯至老死，一切平等，一切如斯自然，誰不能焉。然而是諸法空相，不生不滅不垢不淨不增不滅。這是我在一個自然空間獨飲的自我對話，石屋禪師：「道人一種平懷處，月在青天影在波。」是實相義，是平懷觀世界，世界平等觀，年年花開日，花落自年年。有事心波影，無風水靜時，水無靜與動，風湧浪生移。

可知吾人觀待人事物，一向執迷事物以為心境所生，而不醒悟事相搖動所生起之幻象，實非本覺存有生滅之動相。本覺寂然，見性如是，吾人於不平等之事物眾相中，能悟現有平等一如之本覺自性，依此湛然寂照之自性慧命，為日常生活之鑑照，平等心量則現矣，「道人一種平懷處，月在青天影在波」。

人世間之事物百態有動變，而吾人心視真常，是無動無變，佛陀夜睹明星而悟道，是見性之絕待義，而非物象之對待義，乃能悟「見大」。若能以超倫絕待之「平等性智」，照徹不齊之大小方圓參差不齊之現象，則不齊而等觀，等觀平等，心佛眾生三無差別法。是為法華經者止觀研心，純圓獨妙的境地，平等大慧等觀諸法實相義。

因平等大慧而得獨立無畏之自尊，乃法華經行者法身慧命之融貫於生命之中，善用其心，活用六根，不為六識轉，六塵所蔽之，「我既無心於萬物，何妨萬物常圍繞」。法華禪是心能主宰「作得主」。

（二〇一九年五月二十二日，中夜）

境與智與行「善用其心」之法

一念無念即淨，熏修法華經者所感悟的「境與智」，善用其心，迹門十妙，前四十妙、境智行位，是屬佛因，第五的三法妙，天台所謂三軌法，真性、資成、觀照，是屬佛果（三因佛性、三德），真性軌為法身德之正因佛性；資成軌是定為解脫之緣因佛性；觀照軌是慧為般若德之了因佛性。

一心三觀所證悟、悟入的佛之知見內容，亦可說是三軌法、三德、三因佛性，因之實踐五種法師、衣室座，四安樂行，是法華經者行如來使的理念，具足了則觀念成就，「人理事理如法佛理現前」，如是體解，

「觀念」這個「種子受熏」，正是法華經者「己心中所行門」，「觀念」與「理念」互相參照著，觀念是心中的道理理念所成就的，導正觀念，如同法華經迹門與本門之鏡影、之境智冥一。

一念心之寬廣，有鏡體光方可照見影像，悲智的本身就是光，所見者是一種境。如念一句觀世音菩薩是境，在己心的理念裏，自然存活著菩薩的慈悲性與普門德，這樣的理念，成就了我們對菩薩莊嚴慈悲的觀念之境。所以觀念如同一盞燈光的覺照，可照見心中的塵埃，時時將這個覺照的心，提醒在心中，我想這才能叫做念佛菩薩，如是便親近了自己的佛菩薩性，而入境智冥一。

誰在教我們認識自己，自己就在自己的鏡影裏，那心深底處，平平實實的聽撲簌蓬蓬然的風吹聲呼吸聲，光音暢演，尋訪法華經者三軌法。「譬如磨鏡垢去明存，即自見形。」四十二章經「善用其心」之法，佛子菩薩云何得無過失身語意業。……云何得智為先導身語意業。……云何得與一切眾生為依、為救、為歸、為趣、為炬、為明、為照、為導、為勝導、為普導。(〈大方廣佛華嚴經．淨行品〉)

應物而號。隨物而造。常住常存。不生不老。……天地寥落。宇宙寬廓。中有煙塵。清虛翳膜。巍巍之形。內神外靈。妄有想慮。真一闇冥。其妄有識。其真有惑。非取而取。非得而得。是故理則無窮。物則無極。……有妄曰愚。無妄曰真。真氷釋水。妄水結氷。氷水之二。其體不異。迷妄曰愚。惺真曰智。……夫學道者有三。其一謂之真。其二謂之隣。其三謂之聞。習學謂之聞。絕學謂之隣。過此二者謂之真。

——僧肇《寶藏論》廣照空有品第一 T45, 143c ～ 144a

(二〇一七年十月十一日)

拂曉靜中消息

臘八寅時人靜獨坐省思，生命的無常感，不自覺使人在思想精神轉化透澈，靈通了這一步，摩訶止觀即所謂的「感應道交」，發真正菩提心的醒覺，我如是思如是解「止觀研心」。佛法精神對自我教化為中樞活力，生活行止開拓融入於「行深般若波羅蜜多時」，而養「無智亦無得」。

真所謂「不讀華嚴，不知佛家富貴」，受職如來使，方始知佛的悲智富貴。八十卷《華嚴經》敬讀了五次，去年春節期間第五次敬讀，感動《華嚴經》十地品，由第九地入十地的菩薩受職功德海，因修行體解佛心，菩薩受職為如來使，心念顯現華嚴世界依正莊嚴，覺悟自心本具的佛十號功德巍巍巍之富貴。華嚴之菩薩「受職」，這深刻的印象，令學佛四十多年間的自己，成為心中的幽微玄義。與法華經的如來使是行者的菩提淨明鏡。

「此經稱性備談十身威雄，若不讀華嚴經，不知佛富貴。為欲顯斯果德，故說華嚴大經十種因緣，皆應一一隨其本因。」——唐．清涼澄觀法師（七三八—八三九年）《卍續藏．5冊；華嚴經行願品疏鈔．卷二》

「法雲地第十地菩薩示受佛職位，諸佛以智水灌其頂，以為受法王職之證明。如來十號是佛職。不讀華嚴經，焉知佛富貴。此一真心，可謂富貴，可謂尊極。」——宋．永明延壽禪師（九〇四—九七五年）《卍續藏．1231．63冊；心賦注．卷三》

「授職灌頂，即菩薩自第九地入第十法雲地時，諸佛以智水灌其頂，以為受法王職之證明。」——〈舊華嚴經卷二十七．十地品〉、《天台四教儀集註》卷下

（二〇一九年一月二十四日）

心跡

呼吸裏有著，細緻入微，極細緻入微的念頭（念的前頭），那氣息話語，柔伏那憶持深刻的生命滄桑。鬆坦復鬆坦，疏通四百四脈，心落心起心起心落，觀照己心的悲智，融入呼吸間。一二三四數息修，集中思惟兩眉間。

日昨午茶流光如雲，大殿迴廊感謝秋風。佛子法界影秋光，「承光、聚影」，了知世間一切的一切如夢；「無相之空，性靜之寂」，一切佛如影。佛影。佛子承佛威神力，靜心，如影隨智現，杯水間自然而出音樂雲，憶持深刻的生命滄桑，時而被喚醒，時而柔伏其心，在舒展開來的茶葉間，決了慈柔心，是歷經悲痛的結晶；體解，晶瑩剔透，超越緣慮；這不思念矣！歷經幾多年的工夫來尋解。生命的玄機，原來是這麼一回事，自己惟獨相似地隱藏於己心，「色即是空空即是色；色不異空空不異色。」

終於參知佛陀的內自證，降心魔，止觀研心，開導了真實義，苦集滅道，生老病死苦。智者的己心中所行門，一心三觀、三諦圓融，如是之深深意，幽微至極。「至極以不變為性，得性以體極為宗。」

在歷經苦難時，悲痛的不自覺，心被沉落在境況內，層層疊疊盤旋迴盪在深淵裏，一旦驚覺，觸景照心，其義了了。向上一著，得個活路，呼吸間的念頭裏，體現柔和忍辱善順，唯有，慈柔地，一次又一次的被湧現在前，不被情感擾動生活，不被生命繫縛精神，於人生呼吸的脈絡裏，非縛非脫遊心法界。

一微塵中有大千經卷，究極本源在息心。

（二〇一六年九月十六日）

身心不動

讀〈法華經．序品〉，時間藏起來了！這是靜坐讀經時的經驗，六十小劫，身心不動，謂如食頃，經文也告訴我們，我人的身息心三事也被寫在那兒說明著。

〈妙法蓮華經．序品〉：「是時日月燈明佛從三昧起，因妙光菩薩、說大乘經，名妙法蓮華、教菩薩法、佛所護念。六十小劫、不起於座。時會聽者、亦坐一處，六十小劫、身心不動，聽佛所說，謂如食頃。是時眾中，無有一人、若身若心而生懈倦。」

啊！文殊師利菩薩跟彌勒菩薩說：聽法華經是經歷了禪定，法喜禪悅，不是度過了六十小劫的這一段時間。經歷聽經聞法這件事情，讓我們得到了佛法的經驗，所以事情發展的推動者不是時間，而是事物暢演發展的本身。

「六十小劫謂如食頃」，時間相對的共存靜止在過去現在和未來，三心了不可得，當下三心必將淡出，成為幻影。可是時間的流逝，是絕對的井然有序，意識過現未，是我人熟悉的日常經驗，深植於吾人的思言行。直覺的深處裏，瞬間剎那流動的當下，我們將之回歸靜態影像時，那是我們的日常經驗時間。

（二〇一八年九月二十四日）

始終心要

經歷多少的晨昏耽玄，應用於吾人日用云為之生活處境中，使於繁重之生活擔子中，能移情心理，得以活用心身應對自如。晨昏耽玄，觀照而返照內視，希能聞性於佛菩薩諸聖之遺言，契會於自淨一心，然後但求對天台共學者，鍥而未捨，欲止觀研心之學人同參共修，無念之妙。

無念之妙即在一念，一念就是萬法歸於一，一念如同一個明鏡，胸懸寶鏡照達三千。現前一念是明鏡心，「妙境」現前，「妙智」無量。境與智相望，則「智為先導身語意業」。自然生活安祥，心身獲得自在安養。

（二〇一八年十一月十日）

佛種從緣起

「一切眾生皆有如來智慧德相，只因妄想、執著而不能證得，一切智自然智無師智。」——《華嚴經》

我們與生俱來的無明煩惱習性，讓我們三業不清淨，執著妄想而流轉生死。然而佛子善因緣成熟種下菩提種子，因為精進於緣起法，因緣成熟自能邁向解脫無明之道。眾生的佛種子，被埋沒於煩惱污泥，諸佛菩薩，為欲令眾生開拓此正因的佛種子，隨眾生的機宜，善巧方便說法，眾生聞之而悟，以了因的慧心性，熏習佛種子，以緣因的善心性，助長佛種子，使正因的佛種，萌發菩提芽，開菩提華，結菩提果食。如是修德究竟，性德顯現，而圓成佛道。

因之，佛種從緣起，是精進緣起法，圓滿菩提淨妙。學佛者以平等大慧的慈悲，觀照一切眾生，稱為「兩足尊」，佛佛，是這樣成就佛性的，眾生學佛亦復如是，沁入於心中的宗教情操，「佛種從緣起」契於寂光，習禪者至終希望明心見性見性成佛，常住不離一念善法因緣之「緣起」。佛種從緣起，種下「佛種」期待開花結果。首先要播種，佛種的傳播模式，是從「緣起」，由初階體驗修行漸頓受持，成就佛道，過程相當漫長。雖然如是，《法華經》：「一聲南無佛，皆共成佛道。」就是讓我們把捉善念淨念的因緣，種下菩提種子，開發菩提心苗。

佛種從緣起；緣即是法界，一念緣起就是等於緣十法界；一念緣起，一切因緣生，念佛，一念持「觀世音菩薩」，就等於持念了虛空法界所有佛菩薩。因為佛佛同名同性，專精念一佛菩薩名號，就等同念了所有的佛菩薩的性與德，因緣具足了，一切眾生皆有成佛的可能。

「諸佛兩足尊，知法常無性，佛種從緣起，是故說一乘。」——〈法華經．方便品〉

（二〇一七年十一月十六日，初夜觀照）

法華要義「開、示、悟、入」

窗外灑落雨聲，聞之，吾曰：猶心源之泉湧，於己心蓋已渾然一體無聲無言，生命慧命一如，之生死齊平，慧遠大師說：「至極以不變為性，得性以體極為宗。」如是體解，佛是至極，至極則無變。由〈法華經．如來壽量品〉得之，壽命長遠，常住真心，習法華經者亦當如是之佛子。

《法華經》中於生活之示導法味，吾時時體會「拈花微笑」之奧旨「正法眼藏」，「轉依」之「開、示、悟、入」（法華要義）。「依」，菩薩依照見五蘊空（本地風光無限好），眾生依五蘊十八界（根塵相應落心識）。

「開」了才有心境之轉依，開拓心靈之活動，心境明照、體六度之薰修；進一步推向明「示」知見之現前，非從他得，如法師功德品所言：父母所生肉眼，都成功德殊勝眼，此時六根之善用，用於佛法之妙於「轉依」，妙意根之己達達人；如是之心，自能「悟」於生活點滴，一念三千自轉法輪，日用云為「向上一著」，是般若心光，「開示」己心，之能照「五蘊空」的「悟」境，心性本然空寂；達此必然臻至「諸法實相」之化境，以心印心，以法印心，而「入」佛知見道之慈悲喜捨。「進止安徐如象王，勇猛無畏如獅子；不動如山智如海，亦如大雨除眾熱」（T10, 99a）

如是修行之「歷境驗心」過程，吾視「拈花微笑」之功果，一切都關鍵於「起行、起修」，堅定不懈於六度波羅蜜之「般若禪、法華禪」行法，是如來使之三軌法之功。

此刻的雨聲，聞之，妙與不妙，消息得得，人人皆可悟可知，這聲前一句之聞性，也是菩薩禪之攝養，「養」、「妙」之一字是工夫。當職受職於，法師功德品習法華六支法將。

（二〇一九年十月十五日）

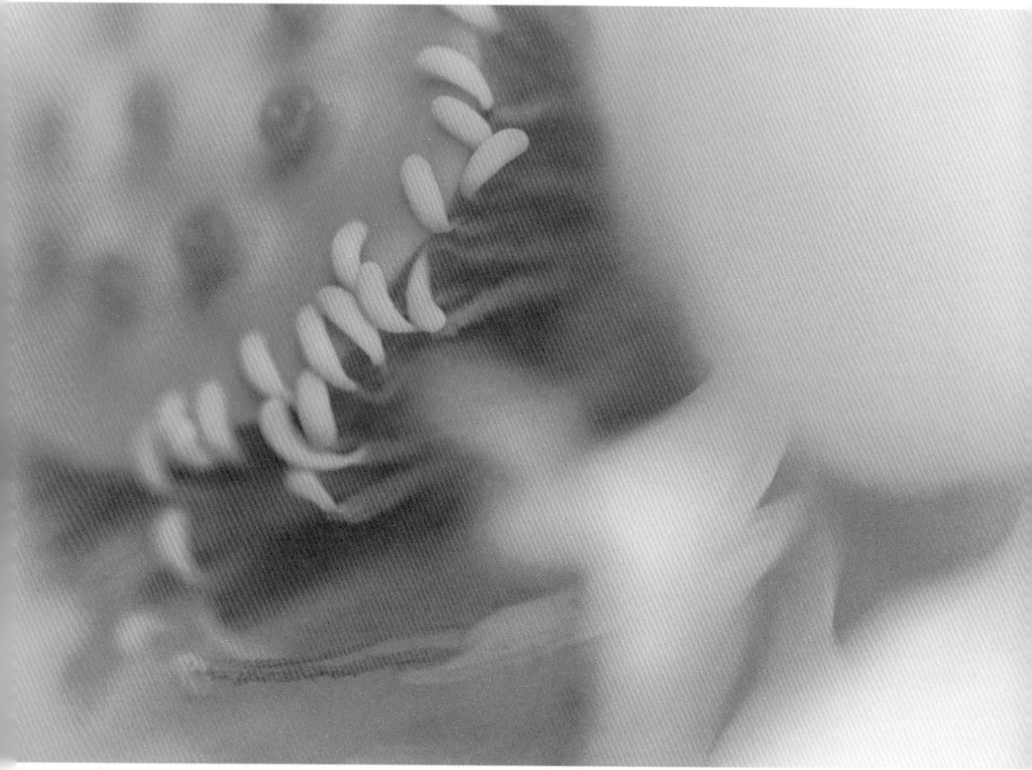

偶遇法華經者的法喜法樂

感到孤寂，非無對話者孤獨寂寞一人，是沒看見自己遇見法華經者，沒了真實深邃幽微的法味對話，唯禪唯靜定的默契默照生命真實義，方是修習法華經者的依歸。細細傾聽自己心深底處的話語，是生命厚度的開拓，它就像是妙法蓮華經中義，如朋友、功德友，一直都在那兒，法如法爾。《雜阿含經》：「若佛出世，若未出世，此法常住，法住、法界。」（T2, 84b）

十九歲學佛那一年，聽了華梵大學創辦人　曉雲導師的《小止觀》，及之後的《法華經》才真正的體知，原來有為法的心物，佛學稱之為對待法，《金剛經》所謂：「一切有為法，如夢幻泡影，如露亦如電，應作如是觀。」而智者大師詮釋法華經的止觀法門，是絕對待的生命法則，是純圓獨妙的慧命觀，原來「無為法」是那麼的耐人尋味。敬信誠意是內心的工夫。

觸景照心其義了了，啊！禮敬己心思歸者，是善美的誠敬，將心直通法華經者的心性，直達心目中菩薩的生命內容，生動的思覺菩薩，菩薩的凝視，近乎神秘的，將心佛眾生三者之悲智，融匯貫通於善用其心者的一念禮敬上。啊！轉眼之間，內中消息消失不見了，往往就是只瞬間掠過的善護念，怎會令人悵然許久。宗教情操滲透，蒲團上的生命語言，「淨念相繼」，無相念佛，「都攝六根，淨念相繼、憶佛念佛，現前當來必定見佛」。佛前，默然定之，淨念相繼，悟人生世事乃一大夢境；觀慧命徹遠乃死生止觀一大事矣。

善巧攝錄，色心相依而息，忽然湛心攝養，凝神寂慮之持身法，現前，淨境，定法持心，轉闇忽靜，照色息心。法華止觀禪法，禪所攝者，生命影像之語言，明鏡體是淨色，隨對諸色一切現前，如是，法喜法樂現在前，遍滿身受，如石中之泉湧，盈流於外潤澤天地萬物，心眼開明徹見，智慧轉深淨明利。靜坐之功善用，照見正念現前（照見五蘊皆空）為下手處所的消息。

研究佛法之人，是希望能達到「大圓鏡智」之功果。學人，雖然不一定一下子成就「大圓鏡智」之希望，但「妙觀察智」之智慧，是不可缺少的，同時因生之「平等性智」的心量，如是這些均是生命的功德友。詩畫是心聲，思想精神也該是心畫，「師自我」，自我心底所流露的語言，而所顯發為語言者，必為心中之一意識所現前，不落言詮，渾融一體！

細把浮生物理推，輸贏難定一盤棋；僧居青嶂閒方好，人在紅塵老不知。

風颺茶煙浮竹榻，水流花瓣落青池；如何三萬六千日，不放身心靜片時。

——福源石屋清珙禪師

（二〇一六年十月十九日）

法華經者謹慎行藏

蘇東坡說：「古今如夢，何曾夢覺。」生命有什麼意義，看一看花樹生長的過程，看花開花落、結果，然後自己去想都是心法的問題，我想這就是佛教的教義。培養我們的六根安定，熏修法華經者，就是希望人能了解生命的意義。人所具之真實本體，納於芥子微塵。六根對六塵產生六識，都是相對的。這慧命的本體卻是絕對待的，根塵相對一切的一切，都不過是夢中之夢。不只一念閃過，而是要常在念中，正視此生命的宗旨，向動靜閑忙中，敲之擊之，使之不間斷，如何不將根塵識妄，認作真心。

今日至大殿後花園影晨露，美之中，微亮的一點露珠，沉默的清貴，影畢晨風吹著我合十感恩、凝攝幾秒。站在母親師父所建設的道場，深入思惟〈法華經．方便品〉：「若人散亂心，乃至以一華，供養於畫像，漸見無數佛，或有人禮拜，或復但合掌，乃至舉一手，或復小低頭，以此供養像，漸見無量佛，……若人散亂心，入於塔廟中，一稱南無佛，皆已成佛道。」

內心感悟經中玄玄義的啟示，總是合十凝攝感恩。凝心攝念合十是八識田中宗教情操的湧現，也是真善美凝攝的意象呈現，給自己一個期許祈禱尋解的力量，是化內外眾生的善誘。工夫教工夫，永明延壽禪師：「超倫每效高僧行，得力難忘古佛書。」

（二〇一五年五月五日）

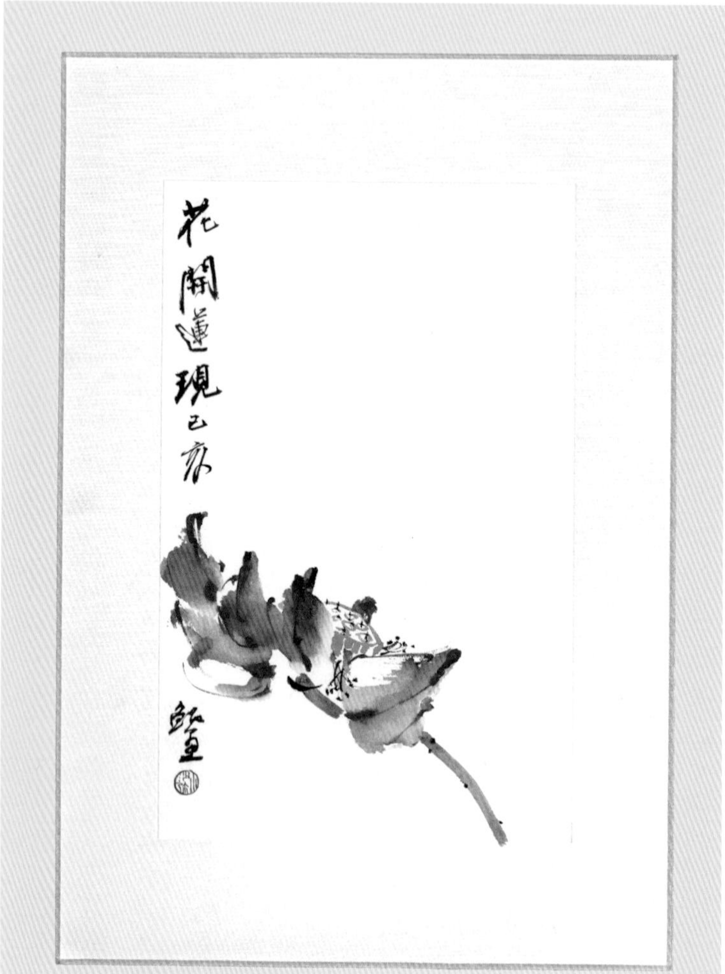
花開蓮現

敬讀《法華經》與《華嚴經》

四十五年來敬持讀誦《妙法蓮華經》，發現佛法經典裏長行與偈頌是佛教文學的主軸。長行以散文的形式進行條理分明的佛法敘述，是修行的行處親近處，是佛教的根本精神。重頌以偈頌的方式，透過韻律傳誦、默契宗教情操，讓佛法文學易於融入深入民間生活的傳唱，於低沉的吟詠裏，細細品味佛法的深深義，於己心生活潛默觀照。不可思議的法華思想況味隱藏於吟詠裏，讓人覺得簡易來自、印心底深處，體心性之明乎善，無為中的有為，有為裏的默然神韻，所以偈頌是機宜時候到了，順水推舟的欣喜語言，讀誦經典的長行，不明處，往往在偈頌裏微微發光。我們人本身就是一首詩。永作人中月，慧日舒光，華雨化天香。夕陽西下，微風吹動妙音克諧，華樹接影連輝，遞相間發光明，嚴潔周遍大地，年年華嚴薰修法會的祈願，一切眾生舉世宗重，言必信用。福吉祥福須彌。

薰修極薰修，純淨極純淨，恬然宴寂，修口業。華嚴經無盡藏、十迴向，無盡藏源自、菩薩勤修六度善根之迴向，感心如流動之光影交輝，真妄起伏，覺知生命愚智悲喜均從容，而觀知一切法、因緣為本之深深意；更體知修行亦如幻如影如水中月鏡中像，因緣和合之所顯現，乃至如來究竟之法。佛子去年諷誦間，法華經的情存妙法，充滿奉獻情操，欣獨，依佛學佛為菩薩學處，如是之「念、持」，了達一切悉無所得，感念菩薩為利世間發大悲心，告知佛子，以智慧為先導，身語意業恆無失；如是之智慧成就，諸根悅豫，佛福田如是，淨明鏡。守護住持善根，令菩提心轉更增長，慈悲廣大，平等觀察隨順修學。

〈大方廣佛華嚴經．普賢行願品〉這法語經文，是自我生命最終極的關懷。諸佛如來以大悲心而為體故。因於眾生，而起大悲：因於大悲，生菩提心；因菩提心，成等正覺。菩薩如是平等饒益一切眾生。何以故？菩薩若能隨順眾生，則為隨順供養諸佛。若於眾生尊重承事，則為尊重承事如來。若令眾生生歡喜者，則令一切如來歡喜。何以故？諸佛如來以大悲心而為體故。因於眾生，而起大悲：因於大悲，生菩提心；因菩提心，成等正覺。一切眾生而為樹根，諸佛菩薩而為華果，以大悲水饒益眾生，則能成就諸佛菩薩智慧華果。何以故？若諸菩薩以大悲水饒益眾生，則能成就阿耨多羅三藐三菩提故。是故菩提屬於眾生。若無眾生，一切菩薩終不能成無上正覺。善男子！汝於此義，應如是解。以於眾生心平等故，則能成就圓滿大悲。以大悲心隨眾生故，則能成就供養如來。菩薩如是隨順眾生。虛空界盡，眾生界盡，眾生業盡，眾生煩惱盡，我此隨順無有窮盡。念念相續。無有間斷，身語意業，無有疲厭。

「吾心似秋月，碧潭清皎潔；無物堪比倫，教我如何說。」——唐代．寒山大士

（二〇一七年十月二十七日，午時）

入無生智到無依處〈淨行品〉

微觀觀照，在未察覺的地方，為自己找個歇腳處，人生自古難兩全，兩難之間比善惡之間的明辨，更是個課題。如是這般大事，不是說了便休，真是個吞不下吐不出的話語，也唯有向這裏一肩荷擔去了。如來使荷擔法華權實二智。

《楞嚴經》：「佛告阿難。根塵同源。縛脫無二。識性虛妄，猶如空華。阿難。由塵發知。因根有相。相見無性。同於交蘆。」真是縛脫唯是一心。

深刻知道體驗著生活經驗的意味，人，生活於時空，在歷境驗心的交會裏，宛若密葉繁華相庇映，華中悉結妙香果，枝間妙光遍照，妙香氛氳共旋繞於身息心道場中。啊，如何能一念心中轉自性法輪，普應六情根無不遍。生命過程更轉明淨，昇華極昇華，「動息不捨方便慧」，如日舒光竭愛水。這樣的生活形態舉足下足，不離「念佛」覺身淨，語淨，意淨，善淨自我身口意三行為。

祝願人人皆成「人間佛」。

「著意求真真轉遠，擬心斷妄妄猶多；道人一種平懷處，月在青天影在波。」——福源石屋清珙禪師

（二〇一七年十一月四日）

法華止觀行

《法華經》是中國佛法開經之重要經典，一是暢佛本懷、二是本迹二門，所談者均依「止觀」，進趣開示悟入佛之知見道，智者大師說：是了生死一大事因緣止觀之經。亦是中國佛教千年來，顯而易見，最能觸景生心，發願修習法華經者真實做人做事的親切法寶，鮮活活妙和盤托出佛果的慈悲與智慧教化，與《華嚴經》並稱中國佛教兩大支柱之經。如同六度波羅蜜的悲智，需有持戒精進與禪定，方能如法行布施與忍辱波羅蜜。「教與學」是生命一大事因緣，想想佛陀圓滿交代了一生，不外「學與教、教與學」的轉自他法輪，由生命至慧命的最大意義，是法華經

者這一生有學習不了的智慧學問，
也有永遠做不完的工作。身息心三
事調和是為要義。

「巖畔梅花冷看人，一任流年暗
中換。」——雪竇禪師

（二〇一五年五月五日）

調和身息心三事

今晨醒來瞬間，覺息入出遍身，如空中風性無所有。感息入無積聚出無分散，來無所經由去無所履涉。稍加用功一心諦觀、息想遍身出入。雖無豁然見自身九萬九千毛孔空疎，氣息遍身毛孔出入，心眼明見遍身出入，而見身內三十六物一一分明。然心靜細時於靜定裏，內聞諸蟲語言音聲。〈禪波羅蜜修證章〉說明，身息心三事調和相，身內諸脈心脈為主，從心脈內生四大之脈，一大各十脈，十脈之內一一復各九脈合成四百脈。從頭至足四百四脈，內悉有風氣血流相注。此脈血之內亦有諸細微之蟲依脈而住。法華經者如是知身內外不實猶如芭蕉。觀念至此欲以細念之心，凝心繫念，攝心對息，令心進勇銳增益身力。祈如止觀所示，攝心深入內清淨得微妙喜令心豁然明淨，無有分散得入一識處。猶如人從暗室中出，見外日月光明，其心豁然明亮。終究尚須加功加功。

「身安者。了達身性故。不為身業所動即得身安。故名身安。心安者。了達心性故。不為心業所動即得心樂。故名心安。」

（二〇一八年二月四日，初夜）

「人間菩薩之念念以大悲為首」之大前提

在佛法的領域裏，因為嚮往菩提淨明鏡、菩提淨妙，而持之以恆的精進體悟「三界所有唯是一心」的境地，深心轉明淨契入性具染淨、性具善惡的光照。《華嚴經》卷三十七菩薩現前地之思惟，歷歷虛明寂靜，於今華嚴共修法會儼然未散，一切分別但由己心生（了達三界依心有）。思之，緣起法，皆在吾人一念心中，染淨善惡皆由自作，所謂精準掌握於心思一念間之起伏，漸可照了「五蘊」無明。度一切苦厄（心是識，事是行，於行迷惑是無明），解此則活於智慧底真理，慈悲底精神。

漫步廊道，望著母親師父所建的道場，景隨心現，「靜裏乾坤」。

一種深沉意涵隱藏在氣氛裏，默默守護浮世之事，或許惟重內潛之德者知之。

「謝事當盛，居身獨後。」謝事當謝於正盛之時，居身宜居於獨後之地。《菜根譚》：「謹德至微，施恩不報。」謹德須謹於至微之事，施恩務施於不報之人。處處要圓融，時時宜樸實。

「三界所有，唯是一心。如來於此分別演說十二有支，皆依一心，如是而立。何以故？隨事貪欲與心共生，心是識，事是行，於行迷惑是無明，與無明及心共生是名色。」——〈華嚴經卷三十七・十地品〉

（二〇一八年三月二十一日）

思惟修「四運心」

智者大師之一念三千，一心三觀，是釋義「明心見性」之觀心法，是要人片刻、靜中一探於淨心裏，將自己之心門觀照寂照一下，將外境之聲色凝攝住，而靜聽那內世界之音聲，方能透視己心，而進一步瞭解他人，人因自我不知開拓心境之朗照，故許多美好的心境靈妙之語，無從領受體解，反之，修了則「明心見性，見性成佛」不遠矣。《釋禪波羅蜜》釋「禪」一字，禪是思惟修、功德叢林，菩薩之無相智慧以究竟眾事，如是禪在菩薩心中名波羅蜜、度無極，事究竟。

慧思大師在《隨自意三昧》裏提到，心識運轉的過程有四種心相，即所謂的四運心，未念、欲念、念、念已，是吾人一念心中的四種相貌。人心，念念遷流，前後念之轉、輕如鴻毛，快如閃電般，解深密經云：「阿陀那識甚深細，一切種子如瀑流。」業識如瀑流，前念未去，後念續來，心念交織，使人心疲意散，成「纏，使」，而不得自由，不能自在。所以四運心之內明是「轉識成智」的工夫。一心三觀之禪修，「忽然湛心」於菩薩心中乃慈悲之處所，靜慮眾惡，靜默眾善，究竟度生之佛事，深細的八識種子，難解，唯於禪定中究竟。

吾人於日常性之根塵相應，而有一念心的塵緣。天台止觀法門，說明「一念三千」之攀緣緣起，若能但觀一念心，止觀研心，則能對己之「一念」心中所產生的善惡染淨，得加以密切留意，「無所從來，亦無所去」，「應無所住，而生其心」，念念不住，宇宙人生一切隨時在變，「苟日新，日日新，又日新」。因之，吾人歸心的思路歷程，需要以法華經者妙意根為善導，是人生不可失去的里程碑、指南針。綜觀天台教觀與止觀，概說了整個中國佛教思想精神，乃至亦是今後之繼往開來。天台一心三觀、三諦圓融之旨，承佛陀之菩提樹下降心魔的功行。一心三觀，空假中三諦圓融，即《大智度論》、《心經》、《法華經》所言，中道一乘之理，言明：佛教以修為宗，以學為教，所謂望心為禪，望口為教，教理之能行於生活人生道上，則生死大事皆辦矣。

「人」之為「人仁」，乃以修攝心法為主，智者大師所謂，由戒定而得慧解，調心調息之法，是柔伏狂亂之心。恩師曉雲導師於昔日禪七開示道：所謂，調身息心之境界為，調息安心，離相淨心，實相妙心。「調息安心」為初步工夫，心可謂而「息相」具，息相者是安祥和悅，而柔細而入微，之氣息；則觀行必然悠然而興，是「離相淨心」之觀照境界，「觀」，不是一般之思想，而是止定後安祥息相所自然之境界，此工夫深植可成聖作祖，小亦可為銳志沉雄而有智德斷德之功；究竟則「實相妙心」，至此不可說；禪謂，語言道斷，心行處滅。印順導師的《妙雲集》引用大智度論有這麼一句話：「般若將入畢竟空，絕諸戲論；方便將出畢竟空，嚴土熟生。」

忽然，耽耽耽味自忽然；定法持心與慧相應，「忽然湛心」之體悟，入賢位、善知佛教意。

（二〇一八年四月二十四日）

獨坐了無言說，回看妄想全消

在濛濛細雨裏，有聲有色，愉悅了現前一念心的光景。一切於時空中遷流不止，「一念心」裏有，未念、欲念、念、念已，動靜相即，涵蓋了動與靜的樣態在瞬間轉動著。動與靜於現象上雖不同，然實質上，二者乃合而為一，互相含攝，互寂互動而生內力（慈悲與智慧相生）。「靜」乃事物之真實樣態（圓明一點本虛空），亦是事物之實際性質（軸心）。一種善法因緣，智識是法財，善法善用其心是精神，以智為善導身語意，決定能應時為作佛事。生活的種種表達方式，如線條的一貫性、整合性。所有觸動人心最後的力量，是自語自修安置於生命的觀聞之處。

相信佛法智慧的普遍性，其精要在醒覺人人擁有一顆摩尼寶珠，它呈現在修行的道場（身息心），生活中所觸及的領域，面面均是究竟決了生命實相的智慧結晶。如同菩提樹下降心魔的悉達多太子菩薩的道場，那麼的福須彌、福吉祥、法喜法樂。

生活在自己「正知見」的觀聞狀態，恰似山中問玄機於心深底處，每一個瞬間像是慧命的誕生轉世，在不同的角度，傾聽如清涼風拂面而過的心語，感知其內外不同面向的需求，一切自在喜樂。

終究，生活場域氛圍裏，所有經歷過無數歲月的痕跡（光環），道場（身息心）的試煉，最後還是依然要放下，勢必要放慢腳步，愈來愈接近真實身分（菩薩性）的角色扮演，回歸到自己性分中，是第一步也是最後一步，源起點上燃燒生命情懷。所有的人事物均可有可無，尤其「有事與無事」、「有」時，是淬煉熔合出來的精髓；「無」時，是性空的般若佛母的喜悅自在；空有雙資，相消相生，雙輪任運妙行，如手掌一舉正反兼具，光景時有新意。醒覺腳跟下之事，是日常生活本分中，所拈來的精髓。一語轉來，關懷到多少人間事，是平懷中的生機，此番光景，一轉一新意，生命所有創作的想像力。習氣纏縛，法華經行者將「理」化為「事」的實踐，畢竟了了。是泯滅煩惱的精進信念，是生活淬煉熔合出的清涼。方可說是伏結、解結，是「轉識成智」的初基。門外青山朵朵，窗前黃葉蕭蕭；獨坐了無言說，回看妄想全消。憨山老人。啊！簡單是道，「了無言說」的放下。「止乃伏結之初門，觀是斷惑之正要。」

（二〇一六年五月五日）

舉足動步而常入定

《華嚴經》、《法華玄義》均明示：眾生心內，無始以來即具已成之佛，而諸佛心中，又孕未來之眾生也。眾生以懷佛之心為因，佛終無盡；佛以孕生之念證果，生亦何窮。故以劫劫之佛陀，度生生之眾生，以生生之眾生，成劫劫之佛法。「如天河之不息似孤月，以常輪古今如是」，僧肇廣照空有所謂：「應物而號，隨物而造。常住常存，不生不老。理合萬德，事出千巧。事雖無窮，理終一道。」（T45, 143c）古今如是諸佛，古今如是眾生，無不具此妙法，若不悟此妙法，當觀妙法蓮華經之蓮華（喻菩薩妙行），能悟此「蓮華」因果，同時即識得「妙法」，生

佛不二，乃以此蓮華喻於妙法，故云妙法蓮華經也。（意取《法華授手》）

如是，不難理解慧遠大師之「至極以不變為性，得性以體極為宗」之玄玄義。慧遠大師謂，諸法有一個至極不變的本性，是為「法性」；而要體解此不變的本性（涅槃寂靜），勢必以體證終極為本原，得不變之體性。佛菩薩應迹即隨緣之妙用也，聲出妙響，色吐華容；能得隨緣之用，如空谷之傳聲，若髻中明珠之隨色，毫端現剎，融萬象於一無，說其空而不空，散一無於萬象，此乃「隨緣」之妙用也。

吾等眾生，覩如是佛法之希有事，將必生如是希有之心，心生敬信如說而行，妙法則可繫於身心矣。雖說衣裏繫有明珠，亦當知其如何始能，盤走珍珠。果能如是，自知佛出世之一大事因緣，為令吾人「開示悟入」佛之知見道。參究「大事」，於己身心，何者為大事，孤獨一肩承擔去，如是之獨自擔當，又是何事呢?!八苦之生、老、病、死之苦，是他人無法頂替的，所以古大德們說「生死事大」，安心之道是自己即身之要事。恩師　曉雲導師所謂「調息安心，離相淨心，實相妙心」。調息法是工夫教工夫的法門，有「門」方得「入」。六妙門一層層的拓開，工夫教工夫；一數二隨三止四觀五還六淨。所謂止觀還淨都不說，端的全神在隨息。自心是腳跟下大事，慧思大師所謂：舉足動步而常入定。

法華經藏禪：

成就四法。於如來滅後。當得是法華經。一者為諸佛護念。二者植眾德本。三者入正定聚。四者發救一切眾生之心。……若有受持讀誦。正憶念。修習書寫是法華經者。當知是人則見釋迦牟尼佛。如從佛口聞此經典。當知是人供養釋迦牟尼佛。當知是人。佛讚善哉。當知是人。為釋迦牟尼佛手摩其頭。當知是人。為釋迦牟尼佛衣之所覆。

（二〇一八年四月十二日）

果成華已空——平等大慧

春在於花全花是春，花在於春全春是花。晨間圓通寶殿宴坐經行，思《妙法蓮華經》之「平等大慧」。石門文字禪所謂：「全春是花，花敷存春。」

以春天喻禪功，早年　恩師曾經以二幅禪畫，勉勵剛從日本回台任教華梵的我，「梅香消息近」、「有依定」。禪人以梅花為春訊第一枝，見微知著、睹始知終，體知天地長春，花枝春暖是禪人之悟旨，春到人間草木知。思至此回首禮敬三大士，頓首禮拜再禮拜，啊！雙手展開再收握，抬起頭的瞬間，凝視著菩薩的慈容，頓時我似乎明白了　恩師丙子年（一九九六年）的五幅心畫心跡（我欲遯世無可遯，想入深山山未深，直向千山萬山去，研幾且向深山遠山後、且向有人行處行）。思惟著，起身繞著三大士經行，覺得那是恩師，思惟修了智者大師止觀行門之途徑。「如來所以出，為說佛慧故。」（〈法華經．方便品〉）、「趣向佛慧，起於宴坐。」（〈維摩經．菩薩品〉）

經行宴坐的行門，在修習禪觀的典籍中，首要是《大安般守意經》，而《禪祕要經》、《修行方便經》都重在禪觀之心法，尤其是《首楞嚴經》與《維摩詰所說不思譯法門經》。也可說《首楞嚴經》是禪教所依之經。其後歷史的痕跡可尋者，康僧會解說禪教、注解《安般守意經》，竺法護譯禪修典籍，道安大師註解禪經，慧遠大師倡般若禪與念佛，鳩摩羅什法師大量傳譯禪法經典，佛馱跋陀羅弘傳出世禪法，僧睿的參禪，僧肇的著述般若論著，智者大師的止觀行門等等的禪法之影響修行者的行逕。

禪之一字，在佛法行持上，其發展的軌跡，隱然可見尋解之途。智者大師的止觀法門重點之一是安那般那，安般念是入定極方便法門，（Anapana）是觀入息出息之數息觀，《大安般守意經》說明呼吸與心念的關鍵，調身息心之數息方法，細分為《六妙門》數、隨、止、觀、還、淨，六妙門是止觀研心者的要典。「止觀」者，止（Samatha）是止息妄想，將心專注一處；觀（Vipasyana）即觀照實相理體。行者依止觀定慧入三昧（三摩地Samadhi）。

《大安般守意經》云：「數息為遮意，相隨為斂意，止為定意，觀為離意，還為一意，淨為守意。」（T15, 164a）修行道地經則合之為四事：一數息，二相隨，三止觀，四還淨。由安般能入諸勝地，地地觀照，能發無漏智，所以又有十六特勝，而入清淨解脫。經行著牽著己心牧牛，觀照石門文字禪，「全春是花，花敷存春」，春喻禪，花喻文字。「紛然同作息，銀碗裏盛雪。若欲異牯牛，與牯牛何別。又曰：有聞皆無聞，有見元無物；若斷聲色求，木偶當成佛。」（《石門文字禪》第二十三卷）

果成華已空，天台禪觀的淵源是般若，可以說般若本身即是禪，般若禪本身就是佛菩薩性，因之不知佛法空理者，難修得禪定之功。何以如是理解呢！般若是禪，乃貴於實踐起用；以般若內明之功，啟菩薩悲智之用。「定慧力莊嚴以此度眾生」的修法，是法華禪；是佛教的根本精神，是智者大師所謂繫心鼻端，止觀研心。《大安般守意經》：「行寂止意懸之鼻頭，謂之三禪也。」

（二〇一九年五月二十四日，初夜）

人間佛

明心觀照，心眼開。靜心依息，止散亂。聽聞童真子力度聲音之思。

閱讀文字或與人相處對話，我總是習慣性的，思維尋解、經文文字或人難描繪之處：「不思議境」。若果文字話語讓人覺知覺受不到，理趣意境的描繪，那麼我通常視之為，是「腦筋轉換成知識的文字語言」。雖然慈悲智慧的來源有，「文字般若，觀照般若，實相般若」，但是我們不可輕忽，這三種方式所轉變移動的尊貴性，即是不可隨意套用佛法文字，來遊戲於己見。因為在我們的己見中，安住著深邃幽微精髓的靈性之光，我們要尋解它探尋它，如同止觀云：「然挹流尋源聞香討根。……

學而次良。法門浩妙。為天真獨朗。為從藍而青。行人若聞付法藏。則識宗元。大覺世尊積劫行滿涉六年以伏見舉一指而降魔。」妙哉佛陀佛法佛理，教義暢演。

人的生長成長過程裏，幾乎都是不自覺地、活在「掙脫」中；掙脫冥冥之中與生俱來的煩惱束縛，而不知其所以然；掙脫自覺不舒服的外境現況；掙脫無始無明現前的境況；掙脫掙脫掙脫百千萬億劫的識流（意識之海）……。

要掙脫超脫生活在社會人事現象往來的境地，其實是一件苦差事，啊！如來使，如來所遣行如來事，更是一件難中難的人間事。佛人，人間佛，人間菩薩，可能在其中就這樣誕生了，也就這樣行走了；來去之間，了無痕跡，《心經》所謂的「是諸法空相，不生不滅、不垢不淨、不增不減」。是故空中無五蘊十二入十八界。界，法界月法界影智慧月。

佛陀開示我們，用三法印、八正道、禪、止觀，來「解脫這生命生活中，當下想要掙脫的現況」。思惟修，諦觀現前一念心，自有一番生命風趣風光的領略。

（二〇一九年五月十八日，初夜）

山中華開蓮現

春歸暑來，木化石上苔痕跡幾層，山中華開蓮現，靜極心自開。

獨坐獨行誰會得，今晨細雨吹暗香，啊！夏的訊息到了菡萏，倏然展顏，清虛靜中聽，開了，山中華開蓮現，隱隱見微光。

（二〇一九年五月十五日，未時梅雨）

己心中所行門

後夜孤鐘散曙，寫一段天台禪觀主要經典《妙法蓮華經》，如來使的己心中所行門。

法華經者是如來使，如來所遣行如來事。如來事者以「開方便門，示真實相。」來闡釋「蓮華」之菩薩精神，彰顯「妙法」之思想。妙法蓮華之「妙」，妙在方便、開顯一真實義，一月高懸萬界輝；妙法蓮華之「法」，以三法妙（心、佛、眾生）證入「唯佛與佛乃能究盡諸法實相」的平等大慧。

十如是之「諸法」，即世出世間一切情與無情，是權是實；「實相」

即諸法之中的第一義諦，是實是理。此中所要傳達的理念是，世間相即出世法，即權即實，即理即事，不壞世相，而成中道實相；所謂佛法善用活用於人世間之正法，亦即是佛法不離世間法的寫照，實在顯佛心入正定聚於此也。可知法華經者之菩薩功德，是行於「理具」，成於「事造」，雙輝互映，惺惺寂寂，寂者止義，惺者觀義。

一念忘緣寂寂，孤明獨照惺惺；看破空中閃電，非同目下飛螢。

文字眼中幻翳，禪那心上浮塵；內外一齊拈却，大千世界全身。

（X73, 801b）

法華經者止觀之方便義，善巧修行，以微妙善根，能令無量行成解發入菩薩位。法華經者天台禪觀，人人能修，能學，誰無一念心，誰無一個活妙的心；即寂即照，即照即寂；「春光照，人活妙」，淨如清鏡。般若觀照之功，是法華經者解行之核心工夫。因之，唯菩薩悲智、佛之知見道，始能顯此佛心之方便門；即所謂為實開權方便法，乃法華經者如來使之佛事。

此之方便法，是菩薩思想，之知見，是菩薩精神，之祕妙，即是法華經者，之祕妙方便。方者祕也，便者妙也，思想精神妙達於方，則內裏繫無價寶珠，之與王頂上惟有一珠，無二無別。此之方便即真實者，「唯此一事實，餘二則非真」、「唯有一乘法，無二亦無三，除佛方便說」。除佛方便說，祕妙方便顯真實義者「等賜大車，即知止息，同到寶所，轉教付財。」《妙法蓮華經》〈譬喻品〉、〈信解品〉、〈化城諭品〉，皆以同體方便之機宜引攝眾生，解惑開慧，可知若無方便門，佛法難以利樂有情。方便善導，顯佛之悲智教化；無智則無妙方，無悲則不與人便利。從佛為一大事因緣故出現於世，的「開示悟入」佛之知見道的行持，來觀看，止觀行者（己心中所行門）即是「法華經者」。

（二〇一九年五月十四日）

憶母親師父

初夜。明日佛誕日母親節，我天天幾乎都會思懷母親師父與恩師，他們是我目前見過最慈悲優雅的人。今日放晴，夕陽侘寂的光影真美，淨潔的空氣裏飄動著，無盡藏的生活韻味，情景交融在黃日西垂。

看著光影變成時光，畢竟也入心明白什麼是師法自然，時間是公平的，留下人世間的痕跡，在共相與別相裏，總是幻化轉變，把時間變成時光，像一幅山水畫。落地有聲的夕陽光照，總是那麼的吸引人，它有意無意地給了我們一幅畫，任由觀心者，賞析這人生的畫想。

黃昏將入初夜時，看著時光與舊時光擦身而過，拉出了一段距離，很幽靜，那時空，暢響幽邃的音色，最靜美。光是微妙的，令人著眼觀察極致的色彩，尋找幽玄內斂的音色，無事閑居靜坐日常，拂境清幽，別有一種微觀飄逸溫馨的賞心之境，轉瞬間會讓人弄明白了，什麼是，一抹色光蓮華藏，天地人間音色香。禪定為慧命之源，拈花微笑功在禪定，是大光明藏，是止觀明靜之學養，攝養心性於止觀定慧法上。

自笑何為者。棲棲苦問津。試摩三寸氣。可繫百年身。
大地皆遷客。勞生總聚塵。請看江上月。曾照幾多人。

——憨山老人

路逢劍客須呈，不遇詩人莫獻；逢人且說三分，未可全施一片。

記於佛誕日母親節前綿密之思，母親師父喜喝我泡的茶。整自去年的今天。

（二〇一九年五月十一日，農曆四月初七）

（上圖）悟觀法師與母親師父開良法師　（下圖）悟觀法師與恩師　曉雲法師

茶中也有山居詩

寂寂人定初。南無大慈大悲觀世音菩薩！南無大慈大悲觀世音菩薩！南無大慈大悲觀世音菩薩！

今晨的老白茶，日本抹茶，是歇腳處，在一炷香一盞茶的時空，默契山居詩。

細把浮生物理推，輸贏難定一盤碁；僧居青嶂閒方好，人在紅塵老不知。風颺茶煙浮竹榻，水流花瓣落青池；如何三萬六千日，不放身心靜片時。（X70p667b）

《觀音玄義》說：「福中之勝不過於定，福德禪定必含諸度及大小諸禪，如是以福資智如油助燈也；以慧資福三業安樂發四弘誓願，可知福是由定寂中而來。」〈普門品〉的菩薩，「即時觀其音聲皆得解脫」，觀是智照，照即光也，引光之源，是定靜用功，今晨飲茶，修習點亮心燈。

此刻坐來，祈求佛力加持，靈感活現，像雨後的夜空，點點星光清瑩，照明幾日來慵倦的心境；菩薩學處，是華嚴經者的生活，也是華嚴經者的生命。

《華嚴經》中得摩尼珠十種瑩治，能雨眾寶。

欲祈福首要先點亮自己的心燈。

（二〇一九年五月十日）

香風吹萎華・更雨新好者

日落申光影映照雨中蓮，花瓣皎若琉璃，如淨瓶盛花，表裏一如，透視自然景物之移情作用，深化心跡心畫。落花水面，暗香浮動，色聲香五官的作用，皆由心識所變現，這深深感動的生命潛能，歲月催人，在時空裏，蓮華走完「成住壞空」的過程，慈悲喜捨莊嚴人間。

法華經者，若能定慧力莊嚴，身心皎若琉璃，心念定不空過。日用云為工夫。

思惟修法華四要品最為綿密。法華禪者，止觀研心，要知於念念中，宛如瞇著眼細看，念未起處（前念已去，後念未來），此離念一著

（向上一著），日久功深，看覷忽然念頭迸斷，心境兩忘（內脫身心，外遺世界），眉目動定也。

香風吹萎華，更雨新好者。法水如是，以一味雨潤於人華，各得成實。意取〈藥草喻品〉、〈化城喻品〉。

（二〇一九年五月二日，初夜）

花訊

明日五月一日。
晨光　經過洗心池
看見荷花展顏
道聲安好，又走了
我在含虛瑩徹的流光裏
望見荷花承光聚影，花葉互相映發
影著花訊一枝

內含虛、外瑩徹，為「定」
智資定而深照
荷香消息近
法華經者，教觀相資入實相門
（二〇一九年四月三十日，日落申）

人人心中有部《華嚴經》

人人心中有尊佛；人人心中有部《華嚴經》。

今日雨滴滴落的晨朝，吟伴曉風送來空氣的清芬，忽然會意入法界品奧義，有一種力量在升騰著。

宇宙間最令人感動者，慈悲是個方向，人因慈悲而有一條寬闊的思考之路，自己畢竟只是社會完整的一小部分而已。

人，沒有誰無覺知到，春去秋來，流光不可攀，依然誰人無知覺，人事如車輪，無止盡地往前變化著。「人事有代謝，往來成古今。」

（二〇一九年四月二十一日，子時三更）

無一眾生而不具有

洗心室內，望著久經歲月不生滅、耽玄坐忘的菩薩，是個什麼心境，曾經是人間佛、人間菩薩；一個微笑（弘一大師），一個禪定（虛雲老和尚），這是當年陪恩師行香時，恩師提點我的生活意境，時時刻刻鮮活。人間有菩薩，流水有妙響，淨心譜出微言禪訊，心境轉依，心靈開拓。智者大師所謂絕待止觀，一大事因緣之絕待生死止觀，乃法華經所「開示」之「悟入」佛知見道，的一大事因緣果報。法華經者解此，人我善惡是非不上心頭，此乃般若禪境，順乎天性佛菩薩性的本質。三界所有唯是一心。

洗心室內心道圓無缺，境智應不虧，把散零零的嚮往底心緒，收拾再收拾；將檢視拾歸妥的東西，用作填補人間那多漏的破裂！人，生命的終歸屬於唯一真實的愛心、慈悲心。「慈悲」二字，於我不斷的消息，是知心的朋友、功德友，觀念裏充滿悲智的人，痛苦於他何有！啊！全人格的畢竟，有如寒冬送暖，清秋明月。

自知要修學之事甚多，然我少向人索問尋求什麼。謙虛些，何人皆可問；自尊莊重些，何人皆不可問；人世間似乎難遇見可尋解之人也。默默地潛藏的內思，自我尋解，蘊於內中，無聲息地、鮮活地來去、寂照如如；止觀明靜。

心，影落諸緣之上，塵塵剎剎盡圓融，極其量只是如此；自家工夫，自家知！

心底蕩映著絲絲的，在虛幻中求取實際，在浮動中把捉靜定。這真要細味深覺，人間幻象不足依戀的道理，才能有所歸宿。這人世間煩惱是不可了，幻影的浮生是已成不破之現象；只有不被煩惱所綑縛，不為幻影所昏眩，這是生命的初步工夫啊！

真覺得難以言說，有學問有才能未必厚德，學佛者將畢生尋解，「離妄想執著，一切智、自然智、無礙智得現前」然亦艱難之甚矣。為學與為人，皆自己辛勞地去修習身息心三事調柔，然大自然卻是吾人的真師友，「此生若得真師友，保管功夫一世休」。此外則靜默靜坐的工夫，也是吾人惟一的問難之處所。

四種三昧行，坐後卻又起行，行後又再禮佛念佛誦經持咒……。

（二〇一九年四月十四日，中夜）

共說無生話

晨起與孤舟共說無生話，鏡影。

人的成就來自於整體的成功，沒有群體就沒有自己。然而人，不因團體顯己之尊貴，人是在獨一無二的個體間，創造更多的選擇與可能性。所以人是因自己的獨立無畏而顯平等大慧的尊貴無比。飲水思源，自尊自貴。

日昨點燈西漫步蓮池海會之思，今日午齋用的晚些時間，藥食時刻漫步，思，清曉佛前默坐；感，自己生活狀態的一切與精神安養的國度分明不混淆。

圭峰宗密之「未明理事，不說有空」。

吾喜大師所著《禪源諸詮集》，大師因感佛法在時代人心的變遷，一目了然於禪教講之融貫。在未轉識成智之前的學佛者，其通病均喜談空說妙有，然，于學佛人來說，識心達本源之圓覺，談何容易呢，何況門外者（不入心者，於佛法來說，都是一樣門外）。真心之顯露（一真法界），啊！人間那得無字書，親切己心吧，親近大自然經典吧。

走著沒有一定要向上向好的轉變，只想悠閑走著、瞧瞧現前一念心，只顧直覺的意識中，是否尚須留待幾日的思惟，始能遣蕩建立而日日漸進，臻至事理圓融。人之尊貴是因心中有佛法的慈悲與智慧，布施有緣人。

漫步淡然回眸睡蓮妙姿的呼喚，讀了心魂，不知覺間，黃日已西垂。這幅畫賦予深沉意味，空有相融是佛法的美妙，它絕諸戲論，是生活的佛法藝術境界，怎是談說筆墨裏所能決了，未知心，墨痕只是墨痕罷了。即使不完美，人人依然是人間佛。歸來喝口茶感恩在心。

人獨歸，日將暮。
孤帆帶孤嶼，遠水連遠樹；難作別時心，還看別時路。
未到無為岸，空憐不係舟；東山白雲意，歲晚尚悠悠。
波上荻花非雪花，風吹撩亂滿袈裟；
如今歲晏無芳草，獨對離樽作物華。
舒卷意何窮，縈流複帶空；有形不累物，無跡去隨風；莫怪長相逐，飄然與我同。

——唐代．詩僧皎然大師

（二〇一九年四月十二日）

初心為待至人來

記於日昨夕陽迎我歸來，思之，家，是人生精神、體力、時間的靈妙場所。動靜相資，調柔止觀；觀是智慧的活動，止是不動的佛性。

菩提樹下風袪暑，般若臺前雨送涼；一盞清茶諸想滅，更於何處覓西方。覺樹當年向此栽，初心為待至人來；千秋衣鉢今仍在，說法誰登舊講台。（X73, 804b）

「午夜忽然忘月指，虛空迸出日輪紅」——《釋鑑稽古略續集》T48。《續指月錄》（X84, 80c）

生活裏許多歷境驗心之事，似乎都交織在感覺上的反應，我常常視之為感應覺性、應驗覺智人生。根塵相應的一念瞬間，一切一切自有乾坤消息透露自己的心音心跡。日昨今日所見聞是「指」上的工夫，都是畢竟了了一段一段耐力的生死考驗，所煉就出來的效應。調心轉識成智，是「家」的擔子，被稱之為使命。攝影家寫作家哲學家音樂家陶藝家藝術家書法家宗教家……等，好多好多的「家」，我把它歸還至如來之家，他們都是真理實相的歸宿點。我思索了，觀察入微力與觀念理念所屬之智力慧眼，般若禪功所謂前方便之行，將「調息」化通至「調心」，心息合一再化通思想精神，這些「家」所擔當的角色扮演，是將己之正知見的思想貫注於有緣人的精神，在行儀上，將己通而為他，完成的當下又是回歸至「人」的角色扮演。如同演京戲的人，上台是關公，下了台是自身是自己。這種機宜的對應關係，角色扮演的開關切換得宜，「家是家，人是人；家人都是悲智家人」，當下了了，人居娑婆，人畢竟是人、是自己。梵我一如是空間聖化之事，了了即了。

句句經文，在空間時間穿梭於聖化的定向，成為可能時，聖俗的對話，便從混沌中建立，成為觀聞者活力的泉源。人也不可能永遠「安居」在「意境意象境界」之中，人畢竟是人，需學會「安居娑婆」。在聖俗之間的生之旅，我們體驗生命的自我定向定位，從混沌不清（chaos）到秩序（cosmos）反秩序（Anti-order）的界面旅遊。

日昨供佛齋天，我體解「聖與俗的對話」是宗教信仰的核心價值，「空間聖化」的核心，試圖讓神聖經驗顯現在自身的禮誦。它象徵著「化通思想精神」，也可說是宗教經驗的顯現，是聖與俗之間的橋梁，自他存在的覺知，空間的互動對話是神聖情境的一面，借著禮誦行儀成為最真實的當下境況，登其門入其室，能禮所禮，宛若神遊至宇宙的中心思想精神，位置於獨立無畏的意境，是一股化通性的穿越，由俗至聖，聖境歸來，又還至另一層次的俗事，是淳厚純境的俗世，是經典法語行持的經驗意涵。

法華經者柔伏其心

領解法華經者的六支法將之一的觀世音菩薩。念南無大慈大悲觀世音菩薩聖號者，如何觀照「觀世音」。觀音菩薩聞聲救苦，所以觀照「觀世音」是微妙的心門。「觀世音普門」這五個字，是成佛之道，也是覺人之道。

觀世音者，人也；此仁者，能大悲拔苦，我們千百萬的苦惱都得到解脫。觀世音者，智慧莊嚴，智能斷惑，如明時無闇。

普門者，法也。大慈與樂，凡是有大慈的人，如同母親，讓自己的孩子得到安樂。普門者，福德莊嚴，福能轉壽，如珠雨寶者也。福能轉

壽者，羅漢尚能廻福爲壽，況普門示現，以不思議福，轉成種智，即福智不二，名之為轉。（法華文句）

《法華文句》告訴我們敬誦〈觀世音菩薩普門品〉，能轉我們的福為壽，「觀世音者，智慧莊嚴，智能斷惑」。所以我們觀照「觀世音」這幾個字，就能得到斷惑開慧了，「普門者，福德莊嚴」，這樣來瞭解觀世音菩薩，我們誦起〈普門品〉來，就另有一種深深義！玄玄微！更加覺得感動了。真真是佛法無邊，福大壽大！福大慧大！使法華經者善能發長遠心！

學佛四十多年以來，一直在思考「寂寞的路口」這一件事，我們真正學佛的人，這件是大事，到我們生命的最後一天，誰幫我們呢？學佛就是為安頓好生死這件事情呀！這就值得我們付出精進心來修行，不能做「生命的俘虜」啊！什麼事情都有人幫，只有這件事沒有任何人可以幫得上忙，到最後的關頭，只要我們想到這件事，就會專注精神，專注「全修在性」。我們一想到「寂寞的路口」，我慢心一放下，善知識慈悲點化，釋迦牟尼佛都告訴我們：「我從很多佛學來的。」如果我們認識這件大事因緣，我們的強蠻、驕慢心，妄想貪欲心，就會慢慢柔伏下來了，我最喜法華經的「柔伏其心」的感覺了，這才得以「伏結」！否則怎麼能夠伏結？我們伏結了，貪欲、嗔恨、煩惱、輕狂、驕慢、辨別是非、諍論、議論都伏了下來，一日間總會有幾次的善用其心。

其實有個事等待解決，是最好修行了，就是逆境，用本修法門：六根門頭下功夫來修逆境之事，即是本修門頭關照得好，會知道性分事是什麼！因之，本修門頭功夫用上了之後，還要慢慢、慢慢地進去實修心法，因為習性的關係。歷古以來的大德祖師都是這樣修來的，這是確定的，什麼難什麼易，就是一個本修門頭工夫！自己就會教自己了，隨時都精神奕奕，好像貓捕鼠：緊盯著，老鼠一出來，還會放過他嗎？真是乾坤何處不光輝，如果我們真的用上工夫的話，就是變化氣質，脫胎換骨了。

「觀」，是不思議觀、佛法觀。「音」，是機，機有多種。「世」，也有多種，如果我們能夠洞達、分析、研究、了解「觀世音」這三個字，我們就體得三藏十二部微妙的佛法。

學佛法只為解惑開慧，是明心見性之法。成佛後、佛佛同名「如來、應供、正徧知、明行足、善逝世間解、無上士、調御丈夫、天人師、佛、世尊」。可是世間的學問，各說各套，佛法則一門通門門皆通的。佛法是「悲與智」，用來「明心見性、解惑開慧」。學佛難在什麼？難在我們有宿生帶來的習性（不定性）無明，如果我們能專精堅定修一個法門修到究竟，自然就能通了，自然就能融貫「唯佛與佛，乃能究盡諸法實相」，實修兩樣法門之一，念佛與隨息。「隨息」就是數息了，數至最後，入定了，息也就隨了。如同念佛，念念念……念到不念而念，入念佛三昧，奢摩他的正定正受，念到不念而自念。這樣的境界，已是本性的事，無須用口來念「觀世音菩薩」才沒有妄想。所以聲念之後，要能夠從性分中念才是，讓我們的自性一直聽著己心持著這句菩薩聖號。

我們要善用其心，用六度波羅蜜修行，就是參禪，修禪，「有依定」找出一個門來讓心有依止。數息法門，所謂「以數為麤」，再來就「隨息」了，氣息還是很長的，一直到了「外忘世界，內忘身心的境界」的時候，這氣息就會愈來愈小愈細了，細小到幾乎到鼻孔就不出來了，如同燒開水，沒有開時泡泡會浮起來，開了就一個個大泡滾起來，到了經過飽和點了，就不滾了，我們修隨息也是這樣，到一個飽和點之後，就自然地定下來，修行最怕我們自己不專心。

用主修法門，隨時都會想到修行的工夫，我自己的實地經驗過，用慣一個心地法門，一出口，一見，就是這個東西，這叫「全修在性」。我們的性分沒有分散的。《大智度論》云：「若人得般若，議論心皆滅。」（T19, 190）般若是光，闇觸則光；般若是火，物觸則化，化執障無明，禪心如皓月。圭峰大師《禪源諸詮集都序》曰：「禪佛心也，教佛口也。」禪為佛心，教為佛語，禪教不二，惟一心悟。故知天台「一念心」通於宗下之「無念」也。讀讀三祖《信心銘》能柔伏其心的。

佛人，人間佛，菩薩乃佛陀之弟子；是從佛口生、從法化生、得佛法分的法華經者。佛一向為發菩提心意者護念，護念，乃佛出世本懷之意，單單只欲令一切眾生與佛同位同名，契入「唯佛與佛，乃能究盡諸法實相」，意味著，人人心中有朵妙法蓮華、有本法華經，依此人人覓得成佛之道，方盡此「佛心護念」耳。然眾生習氣未忘，故而學佛過程，善乞安心柔伏其心之法，發菩提心乃為菩薩安心柔伏其心之法也。以金剛印心，此又是世尊如此日用安心自在，示現未吐露其心自安，觀法無我之妙智慧乃是諸佛母。

所以情存妙法福大慧大，得甘露見灌。所影菡萏如鏡像水月，似觀心無相，花語身心光明皎潔，具含眾妙。影著影著法華經者心跡，霎時臨鏡光，忽然猛省，但歇狂心，童真眉目清朗如未吐露的菡萏，還璞歸真啊！萬物齊歸，心佛眾生三無差別，同是一性，平等觀。我人凡夫雖心鏡塵埋，習染厚，然發菩提心之法華經者，以覺心悟性消磨，佛人光明自透；漸磨漸落，念起即覺，覺至無生，心境空廓；諦審思惟，死生迅疾大夢冥冥，隨三業轉，須從大夢覺，不隨情。念起即覺，覺即照破；境來便掃，掃即放過；性具善惡染淨，善惡之境，隨心轉變；凡聖之心形，應念而現前，如是影物持呪念佛禮懺誦經之觀心法，如磨鏡之

法藥，然而塵垢若除，行者此亦不著，是為「應無所住而生其心」。（部分整理自昔日課堂隨筆）

（二〇一九年五月三十日）

超倫每效高僧行・得力難忘古佛書

思惟「文字和義理」。生命旅程不同的階段，或許需要有個「人格典範」的人，在心中提點著，我們終能凝視往日的憶持，那是有著生命意義的照見。永明延壽禪師：「超倫每效高僧行，得力難忘古佛書。」

讀三法印經文，感色身心念無常，這是「文字」在腦筋的記憶。結跏趺坐，親身體驗感知身體的不夠柔軟與不安的變化，再來覺知心念輕如鴻毛躁動如獮猴跳躍難安，這是「義理」初步的歷境驗心，善巧安心，善於止觀將心安於法性上的基調。

修行要能日久功深，念念中要捨之又捨、休之又休便是得力處，文

義圓滿。林中明臉友留言：莊子齊物論的大！小之辨乎，與時俱進也

憨山老人《夢遊集》說「學道人」有十種善用其心之處。

第一要看破世間一切境界。不隨妄緣所轉。

第二要辦一片為生死大事。決定鐵石心腸。不被妄想攀緣以奪其志。

第三要將從前夙習惡覺知見。一切洗盡不存一毫。

第四要真真放捨身命。不為死生病患惡緣所障。

第五要發正信正見。不可聽邪師謬誤。

第六要識得古人用心真切處。把作參究話頭。

第七要日用一切處正念現前。不被幻化所惑。心心無間。動靜如一。

第八要直念向前。不可將心待悟。

第九要久遠。志不到古人田地。決不甘休。不可得少為足。

第十做工夫中念念要捨要休。捨之又捨。休之又休。捨到無可捨。

休到無可休處。自然得見好消息。
學人如此用心。庶與本分事少分相應。有志向上。當以此自勉。
——憨山老人《夢遊集》X73, 489a。
（二〇一九年七月二十五日，中夜）

一色一香無非中道

《就在此時，花睡了》，怎能不記一段人事物的緣遇之機。晨昏餘光探荷，雨後的色光，總令人喜之，承光聚影，光透過淨潔的空氣，灑落在洗心池水面的荷花荷葉上。美啊！瞬間光與水的映照，光與影的對話，這金碧輝煌的機遇在晨光內搖落；乍現明鏡體是淨色。

日昨夜間終於啜飲東方美人茶，真好，是好多日未飲茶的滋味。之際，**Line**傳遞訊息：「董事長法師尊前：呈寄之書，不知今天寄到禪寺了嗎？藉以禮敬，並申祝福！」回訊後起身行香來去間，觀聞不到念的分際，開腔叩鐘調一句句「南無大慈大悲救苦救難廣大靈感觀世音菩薩」

的念誦，回應己心之如來、宗鏡；一句句「南無大慈大悲救苦救難廣大靈感觀世音菩薩」與「舉一心為宗，照萬法為鏡」對應著，對應著己心裏，庭前的花開花落，對應著幾年前所聞見之「華音」。

晨間純興味影著小白蓮，倏瞬聞見它展顏之聲，美啊！美的如是夢幻；美的如是幻化似真；如是淡然，讓人，定定地蹲著，聽它說生命故事，那生活中湛深的思惟。怎非是持經之功呢。

由於唱誦響徹身心，狠下心來，徹夜未眠潤稿校對完畢了《法華經者的話》上冊，今日收到了許悔之《就在此時，花睡了》，就在此時我意念了「您如老師我見無師智；幻師您對幻人我」所藉以之禮敬，所藉以之並申祝福。如同晨光熹微之時，所聞見的荷花之語，心底泛起一種不知名的思想，如是如是地聖潔寂寞。

《法華經者的話》即將潤稿校對完畢，日日背著它從觀寂寮到寺務所，夜夜由寺務所至觀寂寮，期望尋得一點滴清明心，透過一絲曙光乍現，尋求吉光片羽，金玉珠貝，盤走珍珠，晰晰照見未見未得之境地，進深一層的體驗，從未思及之境地，將身心安置其間，受用己心道味的沾恩，我亦祈願我人，自己的神明智慧指引開導我們如何安養身心。

自然界豐富了我們的智識，歲月悠悠饗起了我們的閱歷和歷境驗心的敦厚篤實。我人從三十歲至七十歲的生命故事裏，可以創造己心之平等獨立無畏，做個任運自在的自由人，法華經者放下了，四十年來我精進努力為之，進展不大，可我向著「七十從心所欲不踰矩」、「唯佛與佛乃能究盡諸法實相」前行，做個不依附於任何事物的人。〈淨行品〉：「受和尚教，當願眾生，入無生智，到無依處。」

「唯佛與佛乃能究盡諸法實相」與「若佛出世，若未出世，此法常住，法住法界，彼如來自覺知，成等正覺，為人演說，開示顯發。」是佛法的自然之道，能體悟宇宙自然之生息，自愛自潔猶如蓮華不著水，其美妙，在於它普遍性的法理法則上，它必須是最能體現持久的自在於心中之法，是孤獨一人，不假外緣以為然，這樣的境況，應該是在自己獨自安身之時，其心身之舒活安暢，法住法界法如法爾。吾人至終，將天下還諸天下，將世界還諸世界，將人生還諸人生，無不了了之心，一切自然平淡無奇的多謝世情多冷暖，唯抱道味自清奇，禪悅迎法喜法樂。

過了立秋時節，又是一夢事了，若不細尋夢，難可決了，借助一杯茶朗然夢事不實，「一色一香無非中道」。

（二〇一九年八月九日，點燈酉）

胸懸明鏡照乾坤

今日恩師　華梵大學創辦人　曉雲導師一百零六歲誕辰，佛法一字句如寶珠，故云「經珠」，妙法如《蓮華經》，葉葉片片如法妙，故云「祕要之藏」；藏著，初心法性。泰戈爾：「生如春花之絢爛，死如秋葉之靜美。」

旭日東升洗心池水面光華燦燦，荷影淡淡，喚不回的時空，瞬間是否更教人緬懷，那人世間的什麼，到了盡頭而甘心迴轉。靜定細細地聽，風吹枯荷葉沙沙，默觀影落影是白，沉默的影子，帶著一絲絲復活的生命力。

夢覺生機含蘊于、深密幽微處。《摩訶止觀》：「多薪火猛，糞壤生華。」

人生斯世，濁、清、仁、智、愚，似乎秩序井然，糞壤生華；所生之華，直讓枯木也生枝。學佛修行的過程全是一種提點指點迷津工夫，感恩研究修行的思路歷程，有著恩師「一念三千、三千一念」觀心疏義的指南。

《六妙門》這個「靜與淨」工夫教工夫的行門，前面的一數二隨三止四觀，是歷境驗心，一念三千之「一念」的境地，一念即是無念、淨念。一念無念的禪境工夫，如何體覺。又，既然是「一念」，如何言之「無念」呢！這中間靜坐微妙的體驗，我理解為不可思議的「自覺知內自證」法，是常好坐禪者，於空閒處，得一念受用的鮮活活妙處。

數息至隨息時、捨數隨息的這一念，就是安般守意，入靜念。八識活動在靜與淨的境地，是一念現前的工夫，如胸懸明鏡，一念是鏡體不動鏡照的作用，稱三千諸法現前，求心生滅不可得，亦不得心不生不滅之畢竟空，「三界無別法唯是一心作」。止觀行者所謂鏡像鏡影觀，一念照達三千諸法影像，是「數、隨、止、觀」的工夫，「五還六淨」是一念即空即假即中，三諦圓融之「內自證」法；諸法實相；可知胸懸寶鏡照乾坤，是一念三千之一念現前時的生命況味。證圓教五品弟子位之初，只是凡夫地，卻一生可修證，即能圓觀三諦，證法師品三軌法，修於般若中空坐如來法空之座，修寂滅忍著如來忍辱衣，修佛定慧以如來莊嚴而自莊嚴修無緣慈入如來大慈悲室。《摩訶止觀》破法遍明示，從初品至相似位，入六根清淨位。此乃法華經者真修緣修《六妙門》〈法師品、法師功德品〉，的內自證法，而五品弟子位源於〈分別功德品〉。

感恩，「明明歷歷無今古，乾坤何處不光輝」、「萬古長空一朝風月」、「三千一念寒潭碧，萬古長空皓月明」這是一九七七年恩師在般若禪苑大門前的禪話，日日猶如初昇曙光，直射入心扉，置身禪寺影蓮花，深深領略禪意，念頭於行住坐臥中如影隨行，於凝心攝念處觀照，所謂「數息」，止觀還淨都不說端的全神在「隨息」，我們的念在那兒，我們的業的輪轉就在那兒（十法界之一界）。

吾人一生有身體即有五蘊十二入十八界，以是覺察與否，五蘊重擔常自現前，因之覺觀五陰重擔〈五蘊身心〉即是觀一念心。身為發戒之由、呼吸〈息〉為入定之門、心為生慧之因。

諦觀現前一念心，念與念之間，佛影，就在那兒。法界月法界影智慧月。

（二〇一九年八月二十一日，中夜）

月在青天影在波

悟觀法師以法華經看的話之校對完成，法師付囑我寫一篇後記。我想到法師愛讀的石屋禪師山居詩：「著意求真真轉遠，擬心斷妄妄猶多，道人一種平懷處，月在青天影在波。」

《法華經者的話》既說了法華經、也說了依法華經而行的「如來使」—「大乘心菩薩」、佛與菩薩的話語。眾生各隨因緣、會在這本書中沾了法味、自探法音。人人心中有部法華經，到了、人人是部法華經、自性心光，月在青天影在波。

二千又一九年九月三日 許悔之合掌手

作者　釋悟觀
封面圖片　曉雲法師畫作（華梵大學文物館提供）
封面題簽、書名頁書法　李蕭錕
內頁畫作　李蕭錕
內頁攝影　釋悟觀、深水觀音禪寺提供（p.164）
林煜幃（p.113、128、157）
「編後記」書法　許悔之

裝幀設計　吳佳璘
責任編輯　魏于婷

董事長　林明燕
副董事長　林良珀
藝術總監　黃寶萍
執行顧問　謝恩仁

社長　許悔之
總編輯　林煜幃
副總經理　李曙辛
主編　施彥如
美術編輯　吳佳璘
企劃編輯　魏于婷

策略顧問　黃惠美・郭旭原・郭思敏・郭孟君
顧問　施昇輝・林子敬・謝恩仁・林志隆
法律顧問　國際通商法律事務所／邵瓊慧律師

出版　有鹿文化事業有限公司
地址　台北市大安區濟南路三段28號7樓
電話　02-2772-7788
傳真　02-2711-2333
網址　www.uniqueroute.com
電子信箱　service@uniqueroute.com

製版印刷　鴻霖印刷傳媒股份有限公司

總經銷　紅螞蟻圖書有限公司
地址　台北市內湖區舊宗路二段121巷19號
電話　02-2795-3656
傳真　02-2795-4100
網址　www.e-redant.com

ISBN：978-986-98188-1-0
初版：2019年10月

國家圖書館出版品預行編目(CIP)資料

法華經者的話 / 釋悟觀著
—初版. —臺北市：有鹿文化, 2019.10
面；公分. —(看世界的方法；160-162)
ISBN 978-986-98188-0-3(上冊：平裝)
ISBN 978-986-98188-1-0(下冊：平裝)
ISBN 978-986-98188-2-7(全套：平裝)
1. 法華部

221.5　　108015081

定價：380元